Portraits de Pechkoff

Francis Huré

PORTRAITS DE PECHKOFF ANNOTATED EDITION copyright ©2007 Linguality, Inc. Authorized annotation of the French edition copyright ©2006 Éditions de Fallois. This annotated edition is published and sold by permission of Éditions de Fallois, the owner of all rights to publish and sell the same. All rights reserved.

UNE AVENTURE AU TEMPS DE STALINE ANNOTATED EDITION copyright ©2007 Linguality, Inc. Authorized annotation of the original French text copyright ©2007 Francis Huré. Published and sold by permission.

UN ENTRETIEN AVEC FRANCIS HURÉ ©2007 Linguality, Inc.

Printed in the United States of America. No part of this book may be used or reproduced without written permission, except in the case of brief quotations embodied in critical articles or reviews. For information, address

Linguality
955 Massachusetts Avenue #121
Cambridge, MA 02139

ISBN-13: 978-0-9795037-1-9
ISBN-10: 0-9795037-1-X

Original text published in France by Éditions de Fallois

10 9 8 7 6 5 4 3 2 1

EDITOR'S PREFACE

In *Portraits de Pechkoff,* career diplomat Francis Huré has written about a remarkable man he loved and deeply respected, "un homme sans mot, habité par les sentiments." He has chosen to sketch his subject in an intimate way, electing to present a series of "portraits" that draw upon his personal recollections. Although he was not privy to many of the details of Pechkoff's life, Huré nonetheless gives his readers fascinating insights into the life of a war hero and diplomat whose place in 20th-century history has, until now, gone largely unrecognized.

Who then was this romantic and enigmatic figure? Born Zinovi Sverdlov in Nizhni Novgorod, Russia's third-largest city, where the Volga and Oka rivers merge, he was a rambunctious youth when he caught the eye of Aleksey Maksimovich Pechkoff, who was later to change his name to Maxim Gorky. (Gorky means "the bitter one" in Russian. The founder of Russian realism in literature, he is remembered as a fiery rhetorician who disseminated the message of the revolution worldwide during a long, contested exile.) The writer saw something in the Jewish boy and took him under his wing, casting him in several plays after learning of his desire to become an actor. He eventually offered to adopt the young vagrant, 15 years his junior, baptizing him in the Russian Orthodox Church so that he could attend the local conservatory, which did not admit Jews. The youth took his adopted father's surname, kept his first name, and left his Jewish home, throwing his family into despair and shame. As mandated by Jewish law, the family repudiated Zinovi and never had any further contact with him. (As a side note, his older brother later became the People's Commissar and signed the death warrant of the imperial family after they were arrested in the city of Ekaterinburg, in the Urals. Ekaterinburg subsequently was renamed Sverdlov, but reverted back to Ekaterinburg after the *Perestroika.*)

Now known as Zinovi Pechkoff, the young man left Russia in an effort to escape the revolutionary upheaval convulsing his country. He made his way to France, where he joined the French Foreign Legion, an armed service known for not inquiring into the backgrounds of its recruits. After the outbreak of World War I, he fought alongside Allied troops, and at the second battle of Artois, in May 1915, he was gravely wounded in his right arm. He likely would have died had he not managed to get to the American Hospital in Paris, where an off-duty surgeon amputated the arm. With this, Pechkoff's reputation as a war hero was sealed and his life took an astonishing new trajectory. He stayed with Gorky in Italy (Sorrento and Capri) during his recuperation, but later returned to Paris, cutting a fine figure in social circles, where dashing young men were in short supply. Although not a French citizen, he was asked by the French government to be an official emissary to the United States to drum up American support for the Allies' cause. As charismatic to Americans as he had been to Parisians, he was so successful that the Foreign Ministry subsequently sent him to the outer reaches of Siberia to negotiate a settlement in the Russo-Japanese War. During the interwar period, he traveled the globe as a wayward adventurer, eventually returning to France and the Foreign Legion, which posted him to Algeria. His service in North Africa during World War II, where he was wounded again, earned him the rank of four-star general and brought him in contact with de Gaulle and other wartime leaders. Appointed French ambassador to Japan at the end of the war, Pechkoff met the young Francis Huré, who had been assigned to be his first deputy. The general, with no wealth, little education, and language skills hardly becoming a diplomat nevertheless so impressed his young assistant that Huré began to gather the content for the book you are about to read.

In writing this anecdotal account of a fascinating man, Huré has endowed his subject with the richness of the French literary heritage, quoting Apollinaire, Corneille, Montaigne, and Voltaire in epigraphs that introduce each chapter and inform our reading in special ways. He also weaves into his prose references to French poets, notably Joachim du Bellay, who served as France's ambassador to the Vatican

in the 16th century and pined for the riverbanks of the Loir and Liré. Whether Pechkoff ever pined for the banks of the Volga and Oka rivers, we'll never know.

An underlying theme of *Portraits de Pechkoff* is France's capacity to serve as a *terre d'accueil,* a special lighthouse attracting, willingly or otherwise, diverse populations from all parts of the globe. As many visitors to Paris have discovered, a smaller version of the Statue of Liberty stands on an island in the Seine, on the western edge of the city, facing its famous double across the Atlantic. While it does not welcome immigrants in as dramatic a fashion as the lady of Liberty Island, it nonetheless stands as a reminder that France too has taken in many of the dispossessed, including successive waves of Russian immigrants in the early 20th century, when Russia was a hotbed of modernism and revolutionary fervor. The artists, scientists, businessmen, and intellectuals who fled to France profoundly influenced their adopted country. One might say modernism was incubated in Russia, fertilized in France, and disseminated to America, making France a *trait d'union* between the two cultures.

Together, Pechkoff and Huré constitute a double *trait d'union* that connects Russia, France, and America. Huré is a distinguished retired career diplomat who served as France's ambassador to a number of countries, including Israel and Belgium. He has joined the ranks of diplomats who also have become prize-winning authors and explains in the recorded interview how the discipline of diplomacy can influence the craft of writing. During the course of the interview, he told me a fascinating story of an episode that took place while he was posted to Moscow in 1943. I asked him why he had never written it down. He promptly did so, and Linguality is proud to include *Une Aventure au temps de Staline* as a special bonus for our subscribers in this annotated edition. While it has no direct bearing on the life of Zinovi Pechkoff, it nevertheless illustrates the unusual circumstances in which diplomats sometimes find themselves. Pechkoff was a master at navigating difficult situations; his protégé apparently had similar instincts.

Portraits de Pechkoff has won two literary prizes, the Prix Combourg in 2006 and the Grand Prix Jules Verne in 2007. The book was presented to the Gorky Museum and Library in Nizhni Novgorod in 2007 with considerable pomp. The French media and reading public have delighted in this biography of surprising content, and we are confident that American readers will find it equally compelling.

A final note. Not long ago, I had occasion to meet a contemporary of Pechkoff, Vladimir Zalkind, who hosted me in his small apartment in a retirement home near Nantes. He had settled there and become a successful businessman after immigrating from Saint Petersburg in the early 1920s. Following World War II, Zalkind had actually been "on the road to Mandalay," crossed "the bridge over the River Kwai," and then met Pechkoff, who was representing French interests in Indochina. Zalkind claimed Pechkoff was a formidable negotiator. He possessed a photograph of Pechkoff with General Dwight D. Eisenhower, who had a great affection for Gorky's adopted son, as did Charles de Gaulle, General Douglas MacArthur, and many of the other major figures of the war. Vladimir Zalkind recently died, and with permission from his family and Francis Huré, we dedicate this annotated edition of *Portraits de Pechkoff* to him.

GH

Portraits de Pechkoff

By Francis Huré

Series Editor
Gerald Honigsblum PhD

Annotation by
Gerald Honigsblum
Dianne G. Green

A BIOGRAPHY IN THE ORIGINAL FRENCH
WITH A FRENCH-ENGLISH GLOSSARY

LINGUALITY  CAMBRIDGE

À Laetitia

DU MÊME AUTEUR

Madame est servie (sous le pseudonyme de Pacifique Simeoni),
  Éditions de Flore, 1953.

Le consulat du Pacifique, Robert Laffont, 1974, Prix Cazes.

Dans l'Orient désert, Albin Michel, 1992.

Nous ne faisons que passer, Éditions de Fallois, 2005.

TABLE

Je ne crois pas beaucoup à I don't put much stock in
faits deeds
autant just so many
lieux dits localities
se croisent cross
venant on ne sait d'où coming from who knows where
Nous en discernons peu We can barely detect them
ne les suivons guère hardly ever follow them
en aucun sens in any direction
Nous tâchons We endeavor
C'est à l'aveugle It's by groping
presque seules almost on their own
voies paths
cheminements lines of thought
nous n'atteignons qu'hypothèses *here:* we only come up with
  hypotheses

All words and expressions are translated according to context.

6

« **Je ne crois pas beaucoup à** l'histoire. Les hommes et les **faits** sont **autant** de **lieux dits** où **se croisent** des lignes nombreuses, **venant on ne sait d'où. Nous en discernons peu** et **ne les suivons guère, en aucun sens.**

« **Nous tâchons** d'établir des séries, mais **c'est à l'aveugle.** Des préférences nous guident **presque seules.** Il n'y a pas, en ces **voies,** de **cheminements** objectifs et **nous n'atteignons qu'hypothèses.** »

JEAN CHAUVEL,
Commentaires

tout-venant ordinary people

volontiers gladly

ne se laissent pas oublier don't allow themselves to be forgotten

dressés rising up

peuplent populate

inconstantes fickle

ceux qui, dans l'histoire, ont placé leur exploit those who have made their mark on history

ce qu'ils furent prime ce qu'ils firent what they were takes precedence over what they did

éblouissants dazzling

fugaces fleeting

souvenirs périssables transient memories

à nul autre pareils unlike anyone else

sosie lookalike

prouesses feats

Louis Aragon (1897–1982) French poet, novelist, and member of the Académie Goncourt. He was a long-time supporter of the Communist Party.

partie *here:* game

insensée extraordinary

Edmonde Charles-Roux (b. 1920) daughter of French ambassador François Charles-Roux, famous for her service as a battlefield nurse in World War II, a latter-day Florence Nightingale. She has enjoyed a career as a writer, presided over the Académie Goncourt, helped launch *Elle* magazine, and was editor-in-chief of French *Vogue* for 16 years. She knew Pechkoff well.

Nul ne verra No one will ever see

Jean Chauvel (1897–1979) highly decorated diplomat and poet, an eyewitness to all the great moments that marked the history of the 20th century in France, Europe, America, China, Indochina, and Algeria

attachantes charming

être (human) being

Quai d'Orsay *in effect:* ministry of Foreign Affairs

nommant naming

prévenu warned

seul en son état one of a kind

épreuve trial

Vous parviendrez You will manage

8

I

Au-dessus du **tout-venant** des créatures humaines, les Grecs plaçaient d'abord les dieux, les demi-dieux, et enfin les héros. Reprenant ce catalogue, je distinguerais **volontiers** parmi les hommes ceux qui ont fabriqué l'histoire de leur temps, géants qui **ne se laissent pas oublier, dressés** dans leurs statues de bronze. Ceux qui, pour un temps, ont aidé l'histoire, lieutenants du destin qui **peuplent** le musée des gloires **inconstantes**, et dont chaque siècle varie la préférence. Plus bas je situe **ceux qui, dans l'histoire, ont placé leur exploit. Ce qu'ils furent prime ce qu'ils firent.** Météores, trajets **éblouissants** et **fugaces, souvenirs périssables**, ils sont **à nul autre pareils**, sans suite ni **sosie**.

Pechkoff est de ceux-là. Il n'a créé que ses **prouesses**.

Dans les *Lettres françaises*, **Louis Aragon**, évoquant sa mort, estimait qu'en ces temps cruels il avait mené une **partie** singulière, dont il saluait « l'aventure **insensée** ». **Edmonde Charles-Roux**, qui le connut bien, ajoutait : « **Nul ne verra** soldat au pareil destin. » **Jean Chauvel**, l'ambassadeur, son chef et son ami, célébrait « l'une des figures les plus curieuses et les plus **attachantes** de son temps ». Il remarquait aussi qu'on ne pouvait rencontrer d'**être** plus discret, plus secret. L'ancien secrétaire général du **Quai d'Orsay** comprenait le général Pechkoff mieux que personne. En me **nommant** auprès de lui, à notre ambassade au Japon, il m'avait **prévenu** : « Vous y apprendrez à connaître cet homme au destin unique. Il est **seul en son état**, ce qui est un privilège autant qu'une **épreuve**. **Vous parviendrez** peut-être à pénétrer sa solitude, s'il le veut bien. »

se fait rare is dwindling
de mémoire from memory
palabres interminable discussions
survolaient ranged over
du même coup in one fell swoop
je me fais un devoir I made it my duty
à diverses époques at different times
à grands traits in broad strokes
balayés swept
humeurs moods
confierai will confide
greffier court clerk
rapporteur tattletale
bardée heavily annotated
s'en charge undertakes it
me les dérobe is depriving me of them
si j'en ai jamais eu if I ever had them
J'ai dépassé celui que vous aviez I have passed the age you were

lointains *here:* far-off
lointain *here:* distant
se plaçait à votre droite sat to your right
plus anciens que moi older than I
célibataires single
acquise established
demeurait remained
retenue restraint
pudeur modesty
Il fallait s'y faire you had to get used to it
sort destiny
parcours journey
sauvageon little savage
apprenti comédien apprentice actor
complice accomplice

*
* *

Zinovi Pechkoff, je suis votre dernier collaborateur vivant. D'autres vous ont connu, dont le nombre **se fait rare**. Mais après moi, personne ne pourra **de mémoire** vous montrer dans votre bureau, faire entendre votre voix, évoquer les longues **palabres** que vous aimiez tant, qui **survolaient** le monde et **du même coup** vous révélaient. L'amitié et l'intérêt de ces moments, **je me fais un devoir** de les retrouver.

Je vais tracer quelques portraits de vous, **à diverses époques**, dessinant **à grands traits** ceux de votre visage, variés, versatiles, **balayés** d'**humeurs**, toujours marqués par l'enchantement et la gratitude de vivre. Je noterai ce que j'ai vu et **confierai** ce que j'ai cru sans me faire historien. Je serai le **greffier** de mes souvenirs, le **rapporteur** de mes conjectures. Assurément, vous mériteriez mieux, une biographie **bardée** de notes et références. J'attends qu'un autre, ou une autre, **s'en charge**. Cela viendra, cela va venir. Moi, je n'en suis plus capable. À chacun sa force et son talent. L'âge **me les dérobe**, **si j'en ai jamais eu**. **J'ai dépassé celui que vous aviez** quand vous avez quitté ce monde.

*
* *

En ces temps **lointains** que je revis, dans ce **lointain** Japon où vous représentiez la France, vous nous appeliez, Jacqueline et moi, vos « enfants ». Mon bureau était voisin du vôtre. Jacqueline, mon épouse, **se plaçait à votre droite**, puisqu'elle était « la première dame de l'ambassade », les agents **plus anciens que moi** étant **célibataires**.

Votre intimité nous semblait **acquise**, mais **demeurait** tacite : de vous-même vous ne disiez rien. Votre **retenue** était-elle une précaution, une prétention, une **pudeur** ? **Il fallait s'y faire**, en tout cas. Cependant, d'autres sources dévoilaient votre **sort** prodigieux, ce **parcours** qui avait mené le **sauvageon** de Nijni-Novgorod, **apprenti comédien**, fils adoptif et **complice** militant du grand Gorki, vers le

11

batailles de l'Artois   three strategically important Allied offensives that took place in May and June of 1915 in the Artois region of France, near the English Channel

caporal   lance-corporal, subject of *perdait*

devenu officier   having become an officer

en proie à   prey to

regagnait   returned to

Maroc   Morocco

était à nouveau blessé   was wounded again

maintes péripéties   many events, turning points

grand-croix de notre Ordre national   highest designation of the National Order of Merit, a medal given for distinguished service rendered to the French nation, established by General de Gaulle

épopée   epic

cuisantes   stinging

aveux   confessions

se mue   turns into

côtoyer   mix with

fangeux   muddy

aboutir à   to end up on

procédé   practice

adresse   skill

bavards   gossipers

se complaisent à   delight in

déballer   unloading

balivernes   nonsense

font bâiller   are boring (people) to death

motus   tight-lipped

bouche était cousue   lips were sealed

ne desserrait pas les dents   would not let anything slip out

mordre   bite

maudire   curse

s'il se sentait piégé   if he felt trapped

fauves   wild animals

débusque   flush out

déchiffre   decipher

effraction   breaking and entering

ombrageux   shady

ténébreux   mysterious

feu des **batailles de l'Artois** en 1915, où perdait son bras le **caporal** de la Légion étrangère que vous aviez choisi d'être, et qui, **devenu officier**, retrouvait un moment la Russie **en proie à** ses convulsions révolutionnaires, puis, en 1922, **regagnait** l'armée au **Maroc, était à nouveau blessé** dans les combats du Rif, pour enfin devenir, après **maintes péripéties**, général de notre armée, **grand-croix de notre Ordre national**, ambassadeur de France. Dans le train de cette **épopée**, on devinait une suite d'actions exemplaires, de **cuisantes** douleurs, sans doute aussi de grands bonheurs. De passions en tout cas. Mais il ne fallait pas compter sur vos **aveux** pour s'en instruire.

Elle excite la curiosité, l'exception qui, en se masquant, **se mue** en énigme. On ne peut **côtoyer** un homme parti de si loin, des quais **fangeux** de la Volga, pour **aboutir à** ceux de la Seine, sans questionner sa progression, son **procédé**, sa performance. Quel fut le secret de son secret ? La vertu, le courage, l'**adresse**, la main d'un protecteur, le doigt de la chance ? Quoi donc, en quelle mesure ?

Jacqueline, toi qui l'aimais autant que moi, tu t'interrogeais aussi, de ton côté, à ta façon. L'attention amenait l'affection : tu prenais à cœur ta recherche. Le soir, commentant la journée dans notre maison de Tokyo, nous déplorions que tant de **bavards se complaisent à** débiter leurs confessions, à **déballer** leurs **balivernes** sans voir qu'ils **font bâiller** ! On va tout savoir, du bébé précoce au mari malin. Tandis que chez Pechkoff, **motus**, sa **bouche était cousue** de fil sombre et **ne desserrait pas les dents**. On soupçonnait qu'il pourrait l'ouvrir pour **mordre** ou **maudire s'il se sentait piégé**. Méfions-nous des mystères qu'on dévoile, comme des **fauves** qu'on **débusque**. Nous aimons qu'on nous distingue, nous détestons qu'on nous **déchiffre**.

Dans votre camp retranché, sentinelle Pechkoff, l'indiscrétion se nomme **effraction**. Qu'avez-vous donc à cacher de si précieux ? Un trésor, un remords ? Quelle abondance, quel abandon ? Êtes-vous si **ombrageux** que vous soyez devenu **ténébreux** ?

FIRST PORTRAIT

THE REBELLIOUS ADOLESCENT

dromadaires camels

Don Pedro Alfarubeira fifteenth-century Portuguese adventurer who travelled the world with his dozen companions on four camels. The episode is taken up wistfully in Guillaume Apollinaire's "Le Bestiaire ou Cortège d'Orphée," included in his collection of poems titled *Alcools* (1911). It is an apt image for Pechkoff, the adolescent rebel setting off for distant places.

Courut le monde traveled the world

Il fit ce que je voudrais faire He did what I would like to do

PREMIER PORTRAIT

L'ADOLESCENT REBELLE

Avec ses quatre **dromadaires**
Don Pedro d'Alfarubeira
Courut le monde et l'admira
Il fit ce que je voudrais faire
Si j'avais quatre dromadaires

GUILLAUME APOLLINAIRE

fait son chemin gets the best of me

la clef de Pechkoff the key to Peshkoff

lorsque j'étais en poste while I was on assignment. (Francis Huré's autobiographical tale, *Une Aventure au temps de Staline*, is included in this edition of *Portraits de Pechkoff*. It will give the reader a unique sense of the diplomat's experience of Moscow in 1943.)

j'avais maintes fois arpenté I had paced up and down many times

nom *i.e.,* Gorky

témoigne bears witness

nom de plume pen name

orphelin orphan

voisinent live side by side

ivrognerie drunkenness

crédulités dévotes blind faith

Il exerce tous les métiers He works at all kinds of jobs

garçon de courses delivery boy

débardeur docker

veilleur de nuit night watchman

garde-barrière level-crossing keeper

saisi seized

il se tire une balle dans la pointrine he shoots himself in the chest

Heinrich Heine (1797–1856) German Jewish poet, considered both romantic and post-romantic, who influenced many youths throughout the 19th century. Gorky ascribes his despair to Heine, who coined the expression "heart suffering from a toothache."

restes remains

chassés de driven out of

Kazan city south of Nizhni, also on the Volga. It is the capital of Tatarstan, center of Muslim Russia.

émeutes riots

il se sent trop surveillé he feels too closely watched

parcourt travels all over

recueille ses plaintes registers his complaints

Il s'y fait connaître He becomes known

l'amer the bitter one

bien nommé appropriately named, a pun on *bien aimé*, or *bienheureux* (blessed), attributed to saintly individuals. Gorky was anything but beloved by all.

II

La curiosité **fait son chemin**. J'avais compris que Gorki, insurgé russe, était **la clef de Pechkoff**, officier français. À Moscou, **lorsque j'étais en poste, j'avais maintes fois arpenté** l'avenue qui porte son **nom** et **témoigne** de sa gloire. Je consultai les livres et j'appris ceci :

Gorki, **nom de plume** de Maxime Alexeï Pechkoff, né en 1868 à Nijni-Novgorod, mort à Moscou en 1936. De famille modeste, **orphelin** très tôt, il vit une enfance difficile dans un milieu où **voisinent** la brutalité, l'**ivrognerie**, la pauvreté, les **crédulités dévotes**. **Il exerce tous les métiers, garçon de courses, débardeur, veilleur de nuit**, peintre d'icônes, **garde-barrière**, pour payer ses études. À dix-neuf ans, **saisi** d'une crise de désespoir, **il se tire une balle dans la poitrine** et laisse cette explication : « Je prie de rendre responsable de ma mort le poète **Heinrich Heine**, inventeur du cœur qui a mal aux dents. Je souhaite qu'on dissèque mes **restes** et qu'on les examine pour voir quelle sorte de diable m'a habité ces derniers temps. »

Par miracle, il survit. Il s'engage dans l'action révolutionnaire en compagnie des déportés politiques expulsés de Moscou et des étudiants **chassés de Kazan** après les **émeutes** de 1887, qui peuplent Nijni-Novgorod. Quand **il se sent trop surveillé** par la police, il fuit la ville, **parcourt** le pays, évalue sa misère, **recueille ses plaintes** : il a trouvé son inspiration. Un premier écrit, suivi de plusieurs autres, paraît dans les journaux. **Il s'y fait connaître** sous le pseudonyme de « Gorki », **l'amer**. Voici, nouveau venu dans le monde des lettres et de la subversion, Maxime Gorki le **bien nommé.**

Henri Troyat famed Russian-born émigré writer and academician, who died in 2007 at age 95. He wrote a biography of Gorky.

sonne comme un clairon sounds like a bugle call

pantouflarde homey

esthètes amoraux amoral aesthetes

il se fraye un chemin forces his way

Tandis que Tolstoï prêche While Tolstoy preaches

dépeint la grisaille depicts the dullness

porte loin et haut carries far and high

le craint fear him

de quinze ans son cadet fifteen years his junior

graveur-imprimeur engraver-printer

gamin déluré smart lad

un peu voyou a bit of a hoodlum

baguenaudant gallivanting about

bons à rien good-for-nothings

prêts à tout ready-for-anythings

traînent hang around

se noue is established

qu'animent that brings to life

salvatrice redeeming

élan swing

gémir moan

gronder rumble

s'enivre gets drunk

aube dawn

périmé outdated

secousses shake ups

se serrent are tightened

redouté feared

déboires setbacks

ils se grisent des vers de Pouchkine get tipsy on verses by Pushkin

écroués imprisoned

relâchés released

Harcelé Harassed

affolent terrify

éblouit dazzles

Il y va de succès en succès. Sa voix, écrit **Henri Troyat** son biographe, **sonne comme un clairon**. « Entre les défenseurs de la paysannerie, les peintres d'une réalité **pantouflarde** et les **esthètes amoraux, il se fraye un chemin** à grands coups d'épaules. » **Tandis que Tolstoï prêche** la soumission à Dieu et le retour aux valeurs anciennes, que Tchekhov **dépeint la grisaille** résignée des intellectuels de province, Gorki appelle à grands cris la révolte anarchique. Sa voix **porte loin et haut**. La police **le craint**, le public l'acclame.

*
* *

C'est à cette époque qu'il découvre un garçon **de quinze ans son cadet** prénommé Zinovi, fils du **graveur-imprimeur** Sverdlov, **gamin déluré**, **un peu voyou**, **baguenaudant** parmi les **bons à rien** et les **prêts à tout** qui **traînent** sur les quais de la grande Volga. Une différence : celui-ci a des idées, il est obstiné, il ne peut tolérer l'injustice du monde. L'amitié **se noue** entre les deux tourmentés **qu'animent** un même projet de révolution **salvatrice**, un même **élan** vers ce peuple misérable qui ne cesse de **gémir** mais commence à **gronder**. Le pays **s'enivre** d'ambitions et d'angoisses. On ne sait si ce nouveau siècle va apporter l'**aube** ou l'apocalypse, tout est confus, tout est possible puisque tout semble **périmé**. Une certitude, cependant, unanime : l'avenir annonce de grandes **secousses**.

Au fil de ces mois fiévreux, les liens **se serrent** entre l'écrivain renommé et **redouté**, et l'adolescent de rencontre qui l'aide à publier ses tracts, à organiser ses réunions, à classer ou cacher ses livres. Ils mettent en commun leur lot d'espoir et de **déboires**. Ensemble **ils se grisent des vers de Pouchkine** :

> *Nous attendons dans un fiévreux délire*
> *L'instant promis des saintes libertés.*

Ensemble ils sont arrêtés, **écroués**, **relâchés**. Gorki a l'habitude. **Harcelé** par le régime, il jouit d'une audience qui le protège. Ses idées enflamment et **affolent**, son talent **éblouit**. Zinovi le suit pas à

19

affiche announces

œuvre maîtresse master work

Les Bas-Fonds *The Lower Depths* (1902), famous play by Gorky, made into a film by Jean Renoir in 1936

Chaliapine Fyodor Chaliapin (1873–1938), celebrated Russian *basso profundo* who gave frequent recitals in Europe and New York

s'adjoint takes hold (of him)

surgit suddenly appears

s'inscrire to enroll

cours de comédie acting classes

il faut non pas you don't have to have

certificat de baptême certificate of baptism

Jakov Sverdlov (1885–1919) Zinovi's elder brother, a high ranking official in the early stages of the Revolution, who signed the decree ordering the execution of the imperial family in Ekaterinburg, a city in the Urals that bore Sverdlov's name between 1924 and 1991

commode convenient

dans l'embarras in an awkward situation

Veut-elle dénoncer Does it denounce

décrier disparage

galéjade tall tale

mutisme silence

dicibles ou indicibles speakable or unspeakable

qui se partagent that share

je la pressens I have a premonition about it

déroutant disconcerting

défraîchi faded

Arsamas Russian city in relative proximity to Nizhni Novgorod

orthodoxie *in effect:* the Russian Orthodox Church

parrain godfather

Délaisser To forsake

mécréance disbelief

sournoisement underhandedly

la renier disowning it

abjurer to renounce

tournant turn of events

pas. Bientôt, le théâtre d'art de Moscou, haut lieu de culture, **affiche** son **œuvre maîtresse**, *Les Bas-Fonds*. Ce sera un triomphe.

Le théâtre. Il ne faut pas s'étonner que son jeune compagnon, Zinovi, y aspire. Gorki, qui lui a donné un rôle dans la pièce, l'encourage. **Chaliapine**, le chanteur, l'y pousse. Devenir acteur, sous ces patronages, quelle riche idée ! La vocation **s'adjoint** de bonnes raisons. Mais **surgit** un obstacle. Décisif. Pour **s'inscrire** au **cours de comédie**, **il faut non pas** un diplôme, heureusement, car il n'en a aucun, mais un **certificat de baptême**, qu'il ne possède pas non plus puisqu'il est juif.

*
* *

Cela, je ne l'ai appris que plus tard, bien plus tard. Et pas de lui. Le commandant, le général, l'ambassadeur Pechkoff, le frère de **Jakov Sverdlov**, ne me l'a jamais dit, ni à personne. Un jour où, paraît-il, on l'interrogeait, il aurait répondu : « Qu'est-ce que cette histoire ? » Phrase **commode**, désarmante, ambiguë, que je l'ai souvent entendu prononcer quand il était **dans l'embarras. Veut-elle dénoncer** une perfidie, démasquer une indiscrétion, ou **décrier** une **galéjade** ? Elle n'affirme ni ne conteste, elle n'affiche qu'une irritation.

Pourquoi ce **mutisme** ? Pour bien des raisons, **dicibles ou indicibles**, **qui se partagent** la vérité. Au moins telle que **je la pressens**. Toutes se résument en une seule : il ne veut ni ne peut justifier un choix **déroutant** qui modifie une vie entière et tient en cinq lignes, inscrites dans l'état civil **défraîchi** de la cité d'**Arsamas**, où il séjourne avec Gorki. « Le 30 Septembre 1902, selon le rite de la Sainte Église, est entré dans l'**orthodoxie** le juif Yeshoua Salomon Moisev Sverdlov, âgé de 19 ans. On lui donnera désormais le patronyme de son **parrain** Alexeï Pechkoff. » C'est-à-dire Maxime Gorki, en littérature.

Délaisser la religion de ses origines par négligence ou **mécréance**, en faire **sournoisement** l'abandon sans pour autant **la renier**, on connaît, on devine. Mais **abjurer** celle-ci pour adopter celle-là qui la contrarie depuis dix-neuf siècles, quel **tournant**, quel tourment ! Car

for intérieur heart of hearts

seul à l'épreuve the only thing put to the test

secouée shaken up

transfuge renegade

traître traitor

voue vows

bafoué ridiculed

foi faith

elle le bannit it banishes him

tu seras privé you will be deprived

contraignant restrictive

complice collusive

Je suis récemment tombé I recently came across

herem heresy

anathème *here:* public condemnation

Spinoza (1632–1677) Dutch rationalist philosopher of Portuguese Jewish origin who, like Zinovi Pechkoff, abandoned the Jewish faith and was excommunicated by the rabbis and the community

disparité du cas disparity in the (two) cases

acharnement relentlessness

ne nous effarons pas let us not be upset (by this)

bûchers stakes

apostasie abandonment of a religion or a doctrine

piloris pillories

chassons dismiss

maudissons curse

exécrons abhor

Qu'il soit maudit de jour May he be cursed by day

pendant qu'il veille while he's awake

Veuille l'Éternel ne jamais May the Eternal never

déverser pour

maux evils

effacé erased

à tout jamais for eternity

Qu'il plaise à May it please

malédictions curses

Sachez que Know that

qu'il ne lui soit rendu aucun service let nothing be done for him

coudées arm's lengths

Que personne ne demeure sous le même toit Let no one live under the same roof

le **for intérieur** n'est pas **seul à l'épreuve**. La maison d'Israël est secouée. Du **transfuge** elle fait un **traître** qu'elle **voue** à la vengeance du Dieu **bafoué**. Infidèle à sa **foi**, il l'est à sa famille. Il l'abandonne ? Non, **elle le bannit**. Oh ! fils pervers, **tu seras privé** de l'ensemble **contraignant** et **complice**, pressant mais protecteur, de la communauté, de sa structure, de sa culture, de ce ghetto-là, dans ce temps-là, en ce pays-là.

*
* *

Je suis récemment tombé sur le « **herem** », l'**anathème** que subit **Spinoza** le 29 juillet 1656. Quoi qu'il en soit de la **disparité du cas**, du lieu, du temps, le texte illustre l'**acharnement** de la synagogue outragée. Chrétiens, **ne nous effarons pas**, nous avons connu les **bûchers** de l'**apostasie**, les **piloris** de l'inquisition.

« À l'aide du jugement des Saints et des anges, nous excluons, **chassons**, **maudissons** et **exécrons** Baruch de Spinoza avec le consentement de toute la sainte communauté, en présence de nos Saints livres et des 613 Commandements qui y sont inclus. **Qu'il soit maudit de jour**, qu'il soit maudit de nuit, qu'il soit maudit pendant son sommeil et **pendant qu'il veille**, qu'il soit maudit à son entrée et soit maudit à sa sortie. **Veuille l'Éternel ne jamais** lui pardonner. Veuille l'Éternel allumer contre cet homme toute sa colère et **déverser** sur lui les **maux** mentionnés dans le Livre de la Loi. Que son nom soit **effacé** de ce monde **à tout jamais. Qu'il plaise à** Dieu de le séparer de toutes les tribus d'Israël, l'affligeant de toutes les **malédictions** que contient la Loi… **Sachez que** vous ne devez avoir avec lui aucune relation écrite ou verbale, **qu'il ne lui soit rendu aucun service** et que personne ne l'approche à moins de quatre **coudées. Que personne ne demeure sous le même toit** que lui et que personne ne lise aucun de ses écrits. »

a-t-il maudit did he curse

de son côté for his part

a-t-il brisé did he break

les siens *in effect:* his family

pieuse pious

On ne le saura pas We'll never know

ne s'est jamais confié never confided (in anyone)

fier proud

repérer identify

qui a déclenché that triggered

emprise soudaine sudden influence

un tel vent ait pu l'emporter such a wind could have carried him off

jouer la comédie *in effect:* to act a part/put on a show

pour devenir comédien in order (to be able) to become an actor

composé composite

quoi qu'il en coûte whatever the cost

incitation incitement

déplaisant de s'affranchir unpleasant to free himself from

ne l'empêchait pas didn't prevent him

à loisir at leisure

notre Père qui est aux cieux our Father, who/which art in heaven

secouait was shaking

la Podolie Podolia, a historic region in southwestern Ukraine, home
 to a large Hassidic community

méprisait-il did he despise

leur claquer la porte slam the door on them

détournaient warped

clore close off

j'ajouterais I would add

attirance attraction

jointe à that comes with

caprice whim

bien des many a

dans l'avancée de son âge in his later years

On croirait parfois One would think sometimes

Tant pis Too bad

tues silenced

À moins que Unless

suite next installment, continuation

24

*
* *

Le père **a-t-il maudit** le fils en ces termes ou en termes semblables, et suivant le cérémonial de la tradition ? On peut le penser. Comment **de son côté** le fils **a-t-il brisé** avec **les siens**, avec ses frères Jakov et Vienamine, ses sœurs Sophie et Sarah, et le souvenir de sa mère, la **pieuse** Élisabeth Solomovna ? **On ne le saura pas.** Zinovi **ne s'est jamais confié.** Il était trop **fier** pour cela. Et quelle oreille l'aurait entendu ?

Sans décoder ce silence, j'aimerais du moins **repérer** l'impulsion, singulière ou plurielle, **qui a déclenché** son audace. J'élimine l'**emprise soudaine** d'une crise mystique, ce que je sais de lui ne me fait pas croire qu'**un tel vent ait pu l'emporter.** À l'autre extrémité, serait-ce simplement l'obligation de **jouer la comédie** du baptême **pour devenir comédien** qui lui a commandé ce drame ? Je ne le vois pas cynique à ce point. J'imagine plutôt un **composé** de motifs. Le désir d'imiter Gorki en tous ses traits, et de faire ce qu'il faut pour cela **quoi qu'il en coûte**, fut sans doute une **incitation** majeure. Être juif dans cette société était un préjudice dont il ne lui était pas **déplaisant de s'affranchir**, d'autant que ce transfert de la Synagogue à l'Église **ne l'empêchait pas** d'invoquer **à loisir**, comme avant, **notre Père qui est aux cieux.** À cette époque, le mouvement hassidique **secouait** la communauté juive. Il était nouveau, datant du siècle dernier, et ne venait pas de loin, **la Podolie.** Notre jeune homme **méprisait-il** ces querelles dévotes au point de **leur claquer la porte** parce qu'elles **détournaient** la pensée du combat essentiel, celui de la Révolution ? Pour **clore** le tout, **j'ajouterais** volontiers l'**attirance**, chez l'adolescent, de l'émancipation rebelle, **jointe à** un **caprice** naturel de l'être. La vie de Zinovi Pechkoff a connu **bien des** métamorphoses **dans l'avancée de son âge.** Séparation, silence et même solitude, sont des expériences dont il n'a pas peur. **On croirait parfois** qu'il les provoque.

Qui peut savoir ? **Tant pis**, on n'entend pas les choses **tues.** **À moins que**, fatalement éloquente, la **suite** de l'histoire ne parle.

fait plusieurs saisons performs for several seasons

assidûment regularly

ne s'y trompe pas makes no mistake about it

surveille watches

l'importuner bothering him

Il s'en amuse plutôt he rather enjoys

Petrograd name given to Saint Petersburg in 1914 because the old name sounded "too German." In 1924, the name was changed again, to Leningrad. In 1991, the city voted to change the name back to Saint Petersburg.

prémices flirting

Il a tout pour se sentir en paix He has everything he needs to feel at peace

sévit rages

Le canon tonne the cannon thunders

frappe hits

en état de servir able-bodied

se sent-il menacé does he feel threatened

À aucun prix At any price

sous les drapeaux under the flags

franchit la frontière crosses the border

l'inconnu de l'avenir the unknown of the future

Il est dépourvu *in effect:* He has little in the way of

manqué failed

il a renié he has rejected

a lâché has let go of

interdit de séjour *persona non grata*

puisqu'il en a fui since he has fled

obligations *here:* the military draft

plus du tout juif no longer Jewish at all

santé health

III

Je continue à lire, à découvrir, à essayer de comprendre. Zinovi Sverdlov, baptisé maintenant Zinovi Pechkoff, **fait plusieurs saisons** au théâtre d'art de Moscou. Il fréquente **assidûment** les milieux subversifs et intellectuels, les deux termes étant synonymes. La police, du reste, **ne s'y trompe pas** et le **surveille** sans **l'importuner**. **Il s'en amuse plutôt.** Il pratique ses premiers exercices de séduction et y trouve un charmant plaisir. Les demoiselles de **Petrograd** sont réputées jolies, et ne s'arrêtent pas aux **prémices** quand elles se laissent aimer. **Il a tout pour se sentir en paix**, s'il reste tranquille, comme on dit. Mais c'est trop lui demander.

À l'extrémité de l'Empire, la guerre **sévit** avec le Japon. « **Le canon tonne.** » Expression de l'époque. La mobilisation **frappe** les jeunes **en état de servir**. Zinovi **se sent-il menacé** ? **À aucun prix** il n'envisage de combattre **sous les drapeaux** du Tsar. Je ne sais si le risque est réel, mais arguant de ce prétexte ou de cette raison, il prend, une nouvelle fois, l'étrange décision d'une rupture. Une autre. Il quitte ses amis, ses projets, sa patrie russe, **franchit la frontière** sans autre destination que **l'inconnu de l'avenir**.

Qui est-il, qu'a-t-il accompli ? **Il est dépourvu** de bagages et d'argent, comédien **manqué**, aucun diplôme en poche, aucune attache de famille, **il a renié** la première et **a lâché** la seconde, **interdit de séjour** dans son pays natal **puisqu'il en a fui** les **obligations**, **plus du tout juif**, pas très orthodoxe. Il n'a que trois ressources, mais triomphantes : une énergie, une **santé**, une jeunesse.

Il aboutit He ends up

nul ne sait no one knows

comme en fin de course as if on the decline

De quoi vit-il ? What does he live on?

Il tâche de se débrouiller he tries to get along

boulots jobs

briqueterie brickyard

laverie laundry

avouent admit

à défaut de for lack of

taire silence

plus forte que jamais stronger than ever

sapin de Noël Christmas tree

bruit noise

gosses kids

joues en feu ruddy cheeks

babillage babbling

s'attristent turn sad

on devient plus doux one mellows

on est envahi one is overtaken

J'ai une envie folle I had a strong desire/yearning

ne serait-ce que if only for

proche close

Les larmes coulent tears flow

me mêler à la foule mingle with the crowd

Par moments Now and then

affligée distressed

rédige drafts

récit narrative

Ne te laisse pas abattre don't let yourself get down

Sache l'observer learn to observe it

Dès que The moment

fonce full speed

sans t'en apercevoir without noticing it

débuté get started

réconfort solice

tapie hidden away

bas-fonds lower depths

en pire only worse

Il n'y trouve nulle part he finds nowhere

d'épreuve en épreuve from trial to tribulation

*
* *

On le voit en Finlande, en Suède, en Angleterre. Sa trace est difficile à suivre. **Il aboutit** au Canada, **nul ne sait** pourquoi, **comme en fin de course. De quoi vit-il ? Il tâche de se débrouiller.** Souvent il a faim, entre deux petits **boulots**, une **briqueterie**, une **laverie**, que sais-je ? Il écrit des lettres qui **avouent** sa nostalgie, et, **à défaut de** projets, ses regrets. Un biographe, Mikhaïl Parkhomovski [1], cite celle adressée à Catherine, la femme de Gorki, en date de Noël 1904 : « Il faut que je vous parle, je ne peux plus **taire** ma tristesse, mon envie de vous voir est **plus forte que jamais.** Je me suis rappelé l'an dernier, Nijni-Novgorod, le **sapin de Noël**, le **bruit**, les cris, la musique. Les **gosses** avaient les **joues en feu.** J'adore les enfants et leur **babillage**, je les aime quand ils s'amusent et aussi quand ils **s'attristent.** En leur compagnie **on devient plus doux, on est envahi** d'un amour infini envers le monde entier. À présent tout a changé. Je suis au Canada, entouré de gens étrangers dont je ne comprends pas la langue. **J'ai une envie folle** de passer **ne serait-ce qu'**une heure avec quelqu'un de **proche. Les larmes coulent** de mes yeux, je vais sortir dans la rue et **me mêler à la foule**, la suivre, pour ne pas rester seul dans ma chambre. » **Par moments**, son tempérament romantique, sa vision **affligée** du monde, le poussent vers la littérature. Il **rédige** un **récit** qu'il envoie à Gorki. Celui-ci lui répond, l'encourage : « **Ne te laisse pas abattre**, la vie est belle, riche. **Sache l'observer**, la pénétrer. **Dès que** tu as un moment de libre, vas-y, **fonce**, écris, tu deviendras écrivain **sans t'en apercevoir.** Moi aussi, j'ai **débuté** par des lettres aux amis. Tu m'es bien proche, tu sais. »

Zinovi a besoin de **réconfort.** Vraiment, il déteste ce nouveau monde dont il aperçoit, **tapie** dans la misère, la barbarie. Les **bas-fonds** en d'autres lieux, mais **en pire. Il n'y trouve nulle part** cette inspiration généreuse qui, **d'épreuve en épreuve**, conduit en Russie les foules malheureuses. Il apprend qu'un dimanche de janvier

---

1. Auteur d'un livre publié à Moscou en 1989 sous le titre russe *Fils de Russie, général de France*. Plusieurs des précisions suivantes sont tirées de cet ouvrage.

Gapone Father George Gapon, a charismatic Russian Orthodox priest popular among the working masses, whom he organized in a protest movement. Eventually unmasked as an agent of the secret police (the Okhrana), he was hanged by the revolutionaries.

blessés wounded

Mougden also Moukden; today Shenyang, China. In 1905, Japanese forces inflicted heavy losses on the Russian military there in what some historians have called the first "modern" battle.

Tsushima strait between Japan and Korea where the Japanese fleet ambushed the Russian Baltic fleet on May 27, 1905, virtually obliterating the Tsarist navy and shifting the balance of power in the Pacific.

la flotte a péri the fleet went down

cuirassé *Potemkine* On June 27, 1905, a mutiny broke out aboard the cruiser *Potemkin*, marking another turning point in the Revolution of 1905. The mutiny was immortalized in Eisenstein's eponymous 1925 silent film.

grève générale general strike

bain de sang bloodbath

Ébranlé weakened

se fie à ce leurre falls into the trap (*i.e.,* decides to repress)

s'est raffermie strengthened

assiste is witness

verbe a soulevé spoken word

flagrante obvious

récoltera raise (funds)

première étape first stopover

vitrines des librairies bookstore windows

emprunts russes a controversial series of savings bonds issued to French subscribers between 1888 and 1917, when the Russian Expeditionary Corps retreated from World War I and left investors in the lurch. Russia recently settled the considerable debt to French investors and their descendents.

Il fulmine he protests vehemently

crachat spit

foule crowd

fondent en larmes dissolve into tears

collectes fund raising

ce qui lui vaudra which earned him

fait merveille dazzles

sert d'interprète serves as interpreter

1905, à Saint-Pétersbourg, au cours d'une manifestation pacifique menée par le moine **Gapone**, l'armée du Tsar a tué mille ouvriers et fait cinq mille **blessés** ; qu'en avril, à **Mougden**, les forces russes auxquelles il a refusé d'appartenir ont été décimées ; qu'en mai, à **Tsushima**, **la flotte a péri**, et qu'en mer Noire, le **cuirassé** *Potemkine* s'est révolté ; qu'en décembre, à Moscou, la **grève générale** s'est terminée dans un **bain de sang**. **Ébranlé**, le trône du Tsar **se fie à ce leurre** : la répression. « La révolution **s'est raffermie** dans l'espoir, elle s'achemine vers la victoire », clame Gorki. De loin, Zinovi **assiste** au coma de la vieille Russie.

*
* *

Gorki a participé à toutes ces batailles. Son **verbe a soulevé** les masses. Son autorité est **flagrante**. Il se sait menacé. Ses amis le pressent de quitter la Russie, l'assurant qu'en Occident son prestige **récoltera** « pour la cause » les fonds dont elle a besoin. Il se prépare à émigrer, en Europe d'abord, puis en Amérique.

À Berlin, **première étape**, il est reçu comme un prince des lettres. Ses livres ont envahi les **vitrines des librairies**, et ses pièces l'affiche des théâtres. À Paris, il est moins heureux, les banques viennent d'ouvrir au Tsar un crédit, les fameux « **emprunts russes** » dont nous parlons encore. **Il fulmine**. « Oh, grande France, oh, ma bien-aimée, reçois dans les yeux mon **crachat** de sang et de bile. » Il s'embarque à Cherbourg pour New York avec Maria Andreïeva, sa secrétaire et sa compagne. Le 16 avril 1906, une **foule** d'admirateurs se pressent sur le quai pour l'attendre. Évidemment, Zinovi est là. Les deux hommes, se retrouvant, **fondent en larmes**.

Des banquets, des visites, des **collectes**, toutes sortes de galas sont prévus pour fêter le grand homme. L'opinion américaine connaît les problèmes russes, le président Theodore Roosevelt a inspiré le traité mettant fin au conflit japonais, **ce qui lui vaudra** le Prix Nobel. L'éloquence de Gorki **fait merveille**, Zinovi **sert d'interprète** avec un fort accent et quelques fautes qui réjouissent l'auditoire. Mais

veille   keeps an eye on

dévoile à la presse   leaks to the press

entretient   has an affair

dont témoigne   evidenced

asservie   a slave to

petite compagnie   jolly couple

Grâce à   Thanks to

elle   refers to *compagnie*

gîte   room and board

particuliers   private citizens

accueillante   welcoming

empressé   attentive

va se joindre   is going to join

Il s'attarde sans motif apparent   He lingers for no apparent reason

abomine   abhors

chemine   wanders

atteint   gets to

périple   voyage

en partance   leaving for

galère   galley (*i.e.*, in which he's going to have to work like a slave)

A-t-il tellement envie   Does he have such an urge

dont il sait   when he knows

sans le sou   penniless

sans milieu   *in effect:* without a circle of family and friends

Plus que le parcourir   More than traveling all over it

narguer   flout (the dangers of the world)

mesurer sa vilenie   take the measure of its baseness

la surmonter   overcoming it

inavouée   *here:* hidden

survie   survival

convient   suits

insolite   unusual

incitant   *here:* tempting

témérité   boldness

mise   wagers

enlève   takes away

si je ne disparais pas   if I don't die

débardeur   dockworker

tambour maori   Maori (New Zealand native tribe) drum

l'ambassadeur du Tsar **veille**. Il **dévoile à la presse** que l'écrivain **entretient** avec sa secrétaire une liaison **dont témoigne** leur chambre commune. Scandale dans la bonne société. Décidément, l'Allemagne est **asservie** à ses militaires, la France à ses bourgeois et l'Amérique à ses puritains. La **petite compagnie** est expulsée de son hôtel. **Grâce à** Zinovi **elle** trouve un **gîte** chez des **particuliers** tolérants. Pour quelques jours. Mais ensuite, où s'installer ? L'Italie paraît **accueillante**. Le 13 octobre, toujours accompagné de la belle Maria Andreïeva, Gorki s'embarque pour Naples.

*
* *

On imagine que Zinovi, **empressé**, **va se joindre** au couple. Pas du tout. **Il s'attarde sans motif apparent** dans ce New York qu'il **abomine**, **chemine** de ville en ville vers la côte Ouest, **atteint** San Francisco (comment, on n'en sait rien) et termine son **périple** en trouvant place dans un bateau **en partance** pour… la Nouvelle-Zélande. Que va-t-il faire dans cette **galère** ? **A-t-il tellement envie** de visiter le monde **dont il sait**, par expérience, comment il traite ceux qui comme lui sont **sans le sou**, sans métier, **sans milieu** ? **Plus que le parcourir**, veut-il davantage le **narguer**, **mesurer sa vilenie** pour se sentir capable de **la surmonter** ? Expérience **inavouée** de **survie**, qui **convient** à sa nature. Chez lui, l'**insolite** est toujours **incitant**, la **témérité mise** sur la chance, l'insouciance **enlève** la décision. Dans une lettre à Maria, il s'explique : « J'ai mes rêves, mes réflexions, j'ai envie de vivre de tout mon être, de réaliser ce qu'il y a en moi. J'attends d'avoir un peu d'expérience et alors, **si je ne disparais pas**, je raconterai. » Ailleurs, dans un autre message, il s'écrie : « Je voudrais qu'il m'arrive quelque chose d'exceptionnel. » On croit entendre le tourniquet de la roulette russe.

En attendant, il est **débardeur** sur le port. Avec son premier dollar disponible, il s'achète un **tambour maori**, raconte Edmonde Charles-Roux.

ayant bouclé having completed

tour du monde trip around the world

débarque à finds himself in

plus belles années de sa vie best years of his life

qu'il dit aimer whom he claims to love

m'en parler to talk to me about it

est soumis aux indiscrétions *here:* has fallen prey to the indiscretions

ceux qui le connurent those who know him

se taire keep quiet (about it)

je me suis formé I was formed

Il aurait pu dire He might have said

sans son sens latin in its Mediterranean sense

ancien former

vignes et vergers vines and orchards

flancs du Vésuve slopes of Mount Vesuvius

flots waves

Elles ne désemplissent pas They are always full

sonnent à sa porte ring his doorbell

Hormis Aside from

Lounatcharski (1875–1933) Anatoly Lunacharski was a close associate of Lenin. Appointed ambassador to Spain by Stalin, he contracted an infection in Menton and died before he could assume the post.

Bogdanov (pseudonym for Alexander Malinovsky, 1873–1928) Lunacharski's brother-in-law, a scientist, specialist in hematology (tectology), and Soviet theoretician

se disent call themselves

quémandeurs scroungers

opportuns *here:* fortune seekers

inopportuns distractors

À telle enseigne So much so

dépêche dispatches

se mêlent mingle with

Elle n'a pas tort It wasn't a mistake

égide aegis

on n'est pas avare d'inventions *in effect:* there's no lack of fabrications

rien ne manque nothing is lacking

fabule tells tall tales

34

IV

La destinée, comme les saisons, a ses jours enchanteurs. Un soir de mai 1907, **ayant bouclé** son premier **tour du monde** (il y en aura beaucoup d'autres), Zinovi Pechkoff **débarque à** Capri. Il va vivre les **plus belles années de sa vie** dans l'entourage de l'homme **qu'il dit aimer** de toute son âme, devant l'un des plus prestigieux, des plus prodigieux sites de l'Europe, lui-même dans la fleur de sa jeunesse. Il consent à **m'en parler**. Gorki, de toute manière, **est soumis aux indiscrétions** de la gloire, **ceux qui le connurent** ne peuvent tout à fait **se taire**. Je me souviens de Pechkoff me disant : « À Capri **je me suis formé**. » **Il aurait pu dire** « transformé ».

La villa, j'emploie ce terme **dans son sens latin**, est un **ancien** monastère entouré d'un jardin fleuri d'où, entre **vignes et vergers**, on aperçoit les **flancs du Vésuve** et les **flots** de la mer. Les pièces sont vastes. **Elles ne désemplissent pas.** Gorki accueille tous ceux qui **sonnent à sa porte** et ils sont nombreux à venir saluer le Maître. **Hormis** les personnalités notables, Lénine, **Lounatcharski**, **Bogdanov**, le temps a effacé le nom de tous ces gens qui passent et qui **se disent** écrivains, poètes, politiques, penseurs en tous genres. Ils sont complimenteurs, **quémandeurs**, voyeurs, **opportuns** ou **inopportuns**, l'élite de l'époque. **À telle enseigne** que la police du Tsar **dépêche** des agents qui **se mêlent** aux visiteurs pour les surveiller. **Elle n'a pas tort** car Gorki rêve de créer sous son **égide** une « École supérieure de propagandistes ». Dans l'exil, **on n'est pas avare d'inventions** autour des tables où **rien ne manque**, même pas le temps. On y **fabule** sans fin. La maison et son domaine forment

langue commune   common language
auditeurs   listeners
ne parlant que pour s'entendre   only talking to hear himself speak
dépourvu   lacking in
au petit bonheur   haphazardly
autodidacte   self-learner
Il se rend utile   He makes himself useful
paye de sa personne   pays out of his own pocket
gérer   to manage/run
bibliothécaire   librarian
courrier   mail
tous les coins   all the corners
moindre   least important
lieux saints   holy places
ferveur   fervor
les miens   my own
aux pieds légers   with light feet
Ils ne sont nulle part ailleurs   They were nowhere else
étroit   confined

lever le voile   lift the veil
Je m'étais risqué   I had taken a chance
il s'était ravisé   had changed his mind
bloquer   *here:* avoid
Le voilà   Here he is
s'engage à pas prudents   heading with careful steps
bénit   blesses
à sa manière   in his own way
évitant de se montrer précis   avoiding showing himself to be precise
souhaitant paraître à l'aise   wishing to appear at ease
soupir   sigh
plissant   squinting
Vous avez dû rencontrer   You must have met

une minuscule enclave dont Gorki est le Prince et le Tribun. Quelle est la **langue commune** ? Celle des monologues que les **auditeurs** n'écoutent pas, chacun **ne parlant que pour s'entendre**.

Zinovi, par contre, est attentif. Il me dit : « C'est ainsi que j'ai fait mes études. » Étudiant libre, très libre, **dépourvu** de méthode et d'assiduité, mais fanatique. Il apprend **au petit bonheur**, dans le bonheur, en bon **autodidacte**. **Il se rend utile**, et **paye de sa personne** : Gorki est incapable de **gérer** la maison. Zinovi s'y emploie, aux côtés de Maria Andreïeva. Il est aussi **bibliothécaire**, archiviste. Le **courrier** arrive de **tous les coins** d'Europe, Gorki répond à la **moindre** des lettres.

Chacun de nous a ses **lieux saints**, imaginés ou possédés, selon le cas. Ce sont souvent des lieux d'enfance et toujours de **ferveur**. Je connais **les miens** et ceux de mes amis, j'ai connu ceux de Jacqueline. S'en passe-t-elle aujourd'hui, cette jeunesse **aux pieds légers** qui s'approprie la terre ? Pour Zinovi, ils ne se situent pas en Russie, ni en France, ni dans cette Amérique qu'il apprendra à aimer. **Ils ne sont nulle part ailleurs** que dans cet enclos **étroit** de Capri ou de Sorrente.

*
* *

Je l'écoute. Après bien des années, dans le jardin japonais où nous sommes assis, il consent à **lever le voile**. Il a d'abord commencé par refuser. L'après-midi me semblait propice, il faisait beau, il était de bonne humeur. **Je m'étais risqué** à lui demander : « Que dois-je répondre à ceux qui m'interrogent, ils sont curieux de vous. » Il m'avait répliqué : « Dites que vous ne savez rien. » Puis **il s'était ravisé**. On ne peut pas toujours **bloquer** les questionnaires.

Le voilà qui **s'engage à pas prudents**, vers ces temps que sa mémoire **bénit**. Il le fait **à sa manière**, **évitant de se montrer précis**, **souhaitant paraître à l'aise**, s'arrêtant pour un **soupir**, ou un sourire, et **plissant** les yeux quand il ne finit pas ses phrases.

« **Vous avez dû rencontrer** Lénine, pendant ces années ?

— Plusieurs fois. Gorki et lui se connaissaient bien. Je les ai

Ils s'écrivaient They wrote each other
ne s'aimaient qu'à moitié only half liked each other
haussement d'épaules shrug of the shoulders
reprend picks up again
il le veut he wants
Il se tait He says nothing
je soupçonne I suspect
avoue confesses
Je ne suis d'accord avec rien ni personne I don't agree with
  anything or anyone
mensonger mendacious
tout éveille everything stimulates
foi faith
avenir future
imaginatif imaginative
utopiste utopian
incroyant unbelieving
minable pathetic
cage dorée golden cage
ne se le pardonne pas didn't forgive himself for it
le lui reprochent criticize him for it
s'en ressent shows it
échappées getaways
soudaines fiançailles sudden engagement
cosaque Cossack
surprend surprises
ne durera guère will hardly last (any time at all)
enceinte pregnant
y accouche d'une fille delivers a daughter there
chômeur unemployed
On pourrait parier One could bet
il l'a effacée he erased her

étonnante faculté astonishing ability
rompre break up
si sensible so sensitive
à se lier to enter into a relationship
à se livrer to confide in (someone)
méfiance distrust

souvent vus ensemble. **Ils s'écrivaient** beaucoup, mais **ne s'aimaient qu'à moitié** : ils n'avaient pas la même idée de la Révolution. (Petit geste de la main, puis silence.)

— Chaliapine venait aussi à Capri ?

— C'était un grand ami. Je l'ai beaucoup écouté. » (Ses chansons ? ses conseils ? le **haussement d'épaules** ne précise rien.)

Après une longue pause, le récit **reprend**, quand **il le veut**, comme il le veut. **Il se tait** sur ce que **je soupçonne**, ou que d'autres m'ont dit, ou que l'histoire atteste : Gorki malade qui **avoue** : « **Je ne suis d'accord avec rien ni personne**, tout me semble suspect et **mensonger**, et en même temps **tout éveille** ma pitié pour les hommes. Je perds ce qui était en moi le plus important, le plus précieux, ma **foi** en la Russie et en son **avenir**. » L'**imaginatif**, l'**utopiste** Gorki, inspirateur **incroyant** de ce **minable** « réalisme soviétique », prolonge son exil dans la **cage dorée** de Capri, mais **ne se le pardonne pas**. Il sait que les gens de Moscou **le lui reprochent**, tout en se réjouissant de le garder si loin. L'ambiance de la maison **s'en ressent**. Zinovi ne dit rien non plus de ses **échappées** à Rome, à Milan, à Londres et même à Paris, dont il ne donne pas les raisons. Il se tait sur ses **soudaines fiançailles** et son mariage avec la fille d'un colonel **cosaque**, belle, intelligente, beaucoup plus grande que lui, union qui **surprend** tout le monde et **ne durera guère**. Le couple part aux États-Unis dans l'espoir d'y trouver un travail. La jeune femme **enceinte y accouche d'une fille**, Élisabeth. La mère et l'enfant tombent malades, le père est **chômeur**, tout va mal. Quand, comment a lieu le divorce ? Est-ce un divorce ? Zinovi n'en parle jamais. **On pourrait parier** que l'épouse a disparu. Non, **il l'a effacée**.

*
* *

Car il dispose d'une **étonnante faculté** de **rompre**, lui **si sensible**, si séduisant, et qui sait si bien s'attacher les êtres. Le plus souvent il met du temps **à se lier**, et plus encore **à se livrer**. Sa **méfiance** tarde

confiance trust

mine de rien despite all appearances

il prend seul l'initiative he alone takes the initiative

erga omnes legal expression meaning "applicable to all"

Souvenons-nous Let us remember

abjuration renouncement

coupure break

il la brusque he rushes it

devançant anticipating

pour ne pas la subir so as not to experience it

crainte fear

contrainte constraint

contrariété annoyance

achèvement completion

avènement advent

débarrasse releases (you)

le vierge, le vivace et le bel aujourd'hui "The virginal, the living, and the lovely day," the first line of Mallarmé's celebrated, titleless sonnet that examines the swan's instinct in anticipating imminent danger to the poet, scorned by the material world around him

l'y pousse pushes him there

Il est chez lui un puissant maître It is a powerful urge in him

la mémoire....oubliettes memory is where one stores and condemns to oblivion all one's past experiences. *Oubliettes* refers to dungeons where prisoners are forgotten forever. The author crafts an unusual composite with the words *mémoire*, *conservatoire*, and *oubliettes*.

chaudron magique magic cauldron

périmés out-of-date

surgissent d'autres figures other figures suddenly appear

Je ne crois donc qu'à moitié I only half-believe

aval approval

Mussolini (ne le répétons pas) Mussolini (perish the thought)

sachant knowing

d'après according to

Je me défends de dénombrer I resist counting

dont il orne sa félicité with which he embellishes his happiness

la travestit distorts it

Balayé Swept clean

L'inquiétude anxiety

répand casts

à devenir **confiance, mine de rien** elle consulte. Tandis qu'à l'inverse, la rupture est pour lui un acte immédiat dont **il prend seul l'initiative**, et qui s'applique *erga omnes*, en tout et pour tout, personnes ou choses, opinions ou situations. **Souvenons-nous** de son **abjuration** et de son émigration, en plein prologue à sa vie d'adulte. Lorsqu'il sent le moment proche ou probable d'une **coupure, il la brusque, devançant** l'heure **pour ne pas la subir**. Elle n'est pas désertion, mais **crainte** qu'une continuité ne se fasse **contrainte** ou **contrariété**. Souvent, l'**achèvement** annonce un **avènement**. La route est libre, le temps **débarrasse**. Voici « **le vierge, le vivace et le bel aujourd'hui** ». Son instinct **l'y pousse. Il est chez lui un puissant maître**.

Dans ces conditions, **la mémoire est un conservatoire aux vastes oubliettes**. C'est la formule qu'emploie Jacqueline. Je préfère l'image du **chaudron magique** où se dissolvent les portraits **périmés**, le passé dépassé, et d'où, par le même procédé et dans le même instant, **surgissent d'autres figures**, des fumées, des fantasmes qui prennent corps et dont il compose sa vérité. **Je ne crois donc qu'à moitié** aux tableaux idylliques qu'il me fait de Capri. Il me peint les mêmes de Sorrente où Gorki s'établira plus tard avec l'**aval de Mussolini (ne le répétons pas)**. Mais il est sincère en me les présentant, et surveille le regard que j'y porte. Alors moi aussi je le surveille, **sachant** qu'il me juge **d'après** mon jugement. **Je me défends de dénombrer** les petits mensonges **dont il orne sa félicité** et parfois même **la travestit**. Ce qui lui déplaît disparaît de sa vue, comme par enchantement. **Balayé**, remplacé. Restent l'authentique et le mythique dont il combine ensemble la célébration.

L'imagination dans le souvenir est l'un des secrets de Zinovi Pechkoff. C'est elle qui donne au passé sa poésie. Elle réinvente son âge d'or.

*
* *

Nous en arrivons en 1913. **L'inquiétude répand** en Europe sa grande ombre. En Allemagne, le Reichstag approuve un plan de

est porté à   is increased to
s'affaiblit   gets weaker
s'affermit   becomes stronger
On sent   One senses
enchaînement   chain
malentendus   misunderstandings
préjugés   prejudices
va faire de la guerre   is going to make of war
impérieuse   pressing
havre   haven
humeurs   moods
se dégradent et s'affrontent   are deteriorating and clashing
n'en déplaise à Zinovi   whether Zinovi likes it or not
se heurtent   are clashing
d'autant plus fort qu'ils s'aiment   all the more strongly because they
    love each other
trois centième anniversaire de sa dynastie   In 1913, on the
    tricentennial of the Romanoff dynasty, Tsar Nicholas II made a
    number of conciliatory gestures toward his people and his enemies,
    including the opening of a federal bank in Nizhni-Novgorod.
    Today it is a showcase of the new Russian economy.
conseille d'en profiter   advises (him) to take advantage of it
Ne serait-ce pas un piège   Could it be a trap
En outre   In addition
reprend   comes back
À moitié guéri   Partly cured/recovered
tergiverse   dilly-dally
Ticket pour l'hécatombe   One-way ticket to hell
une Légion étrangère   a certain Foreign Legion
devise   motto
matricule   registration number, assignment
quelques sous en poche   a few pennies in his pockets
Affecté   Assigned
En route   Let's go
je ne serais pas étonné qu'il se soit rajeuni   I wouldn't have been
    surprised if he had lied about his age
n'a pas à fournir de preuve   didn't have to furnish proof
on le croit sur parole   they took his word for it
porté   reported

réarmement immédiat. En France, le service militaire **est porté à** trois ans. En Russie, le régime **s'affaiblit**, l'opposition **s'affermit**. **On sent** que dans le monde un **enchaînement** de **malentendus** absurdes, de rivalités jalouses, de **préjugés** insanes, **va faire de la guerre** une nécessité **impérieuse**. À Capri, dans ce qui fut un **havre**, les **humeurs se dégradent et s'affrontent, n'en déplaise à Zinovi** qui ne veut l'avouer. Nul doute que **se heurtent** le père et le fils, **d'autant plus fort qu'ils s'aiment**, ces deux êtres de passion, difficiles à vivre.

À l'occasion du **trois centième anniversaire de sa dynastie**, le Tsar vient d'accorder une amnistie qui rend possible le retour de Gorki. Lénine **conseille d'en profiter** : le maître hésite. **Ne serait-ce pas un piège ?** Pardon annoncé, prison imposée. **En outre** il se sent malade. La fièvre le **reprend**. Pourtant il se décide. **À moitié guéri**, il part.

Que va faire Zinovi ? Il n'a pas suivi son père. Il retrouve, après dix ans, le dilemme de la guerre russo-japonaise : sous prétexte de défendre la patrie, faut-il soutenir son régime et s'enrôler dans ses armées ? Encore une fois, il s'y refuse. Mais il refuse aussi de fuir la tempête où va s'exposer le sort du monde et de ses peuples. Il obéit à un instinct qui ne **tergiverse** pas. Nouvelle décision solitaire, celle-là grandiose, terrible. **Ticket pour l'hécatombe.**

Il se présente au consulat de France à Gènes. La France ? Il ne la connaît guère. L'Armée ? Il a entendu parler d'**une Légion étrangère** qui a pour **devise** « Honneur et fidélité ». Il y recevra son **matricule**. Deuxième classe. Avec **quelques sous en poche**, il part pour Nice, s'arrête au bureau de recrutement. **Affecté** au bataillon de marche du Premier Régiment étranger. **En route**, soldat Pechkoff !

À cette occasion, **je ne serais pas étonné qu'il se soit rajeuni** : « Né à Nijni-Novgorod en 1884. » J'ai eu son passeport entre les mains. Mais l'incorporé (merveilleuse appellation) **n'a pas à fournir de preuve, on le croit sur parole**.

Dans le curriculum vitæ qu'il a remis à la France libre, il n'a pas **porté** sa date de naissance.

SECOND PORTRAIT

THE ADVENTURER
ON THE HIGH ROADS

"Each man is two men, and the truest is the other."
BORGES

DEUXIÈME PORTRAIT

L'AVENTURIER
DES GRANDS CHEMINS

« Tout homme est deux hommes, et le plus vrai, c'est l'autre. »

BORGES

fuient flee

Meknès city in Morocco that in 1924 had a sizable French colonial presence

gantée wearing a glove

pécari pigskin

képi de travers kepi worn sideways

Boitant Limping

Rif mountainous region of Morocco, site of 1924 military action by the French in defense of Spanish troops confronting native insurgencies

juchés sur nos tabourets perched on our bar stools

mutation transfer

permissions leaves of absence

chicaner quibble over

fronde rebellion

facéties salaces raunchy practical jokes

pudique modest

bienséance decorum

Bout de sein "Tiny Tits," nickname given to the barmaid

remplissait filled

V

Vingt-quatre ans après, lorsqu'à Tokyo, devenu ambassadeur, général à quatre étoiles, il évoquait devant moi le Maroc, il ne parlait jamais de notre rencontre. C'est pourtant là que je l'ai connu, juste avant la guerre. Je comprends sa réserve. Beaucoup d'entre nous **fuient** la mémoire de nos compagnons d'autrefois, quand rien n'indiquait ce que nous deviendrions. Moi tout le premier. « Te souviens-tu du temps où tu étais ceci, où tu disais cela ? » Non merci, je ne me souviens pas.

Pechkoff était chef de bataillon au deuxième régiment étranger. J'étais sous-lieutenant à **Meknès**, où il venait souvent. Il avait ses habitudes au Cintra, qui était le bar de l'hôtel Transatlantique dont régulièrement, le soir avant dîner, il poussait la porte d'une main **gantée** de **pécari** clair. Ponctuel. Le **képi de travers** sur l'oreille. Le sourire aux lèvres. **Boitant** un peu, du pied gauche : sa blessure du **Rif**.

De quoi parlions-nous, **juchés sur nos tabourets** ? De sujets qui sont depuis toujours ceux des militaires en fin de journée : la **mutation** d'un camarade, les départs en manœuvre, les prochaines **permissions**. Mais je ne l'entendais jamais dénigrer un caractère ou **chicaner** un commandement. Ce rebelle n'aimait pas la **fronde**. De même, il ignorait les **facéties salaces** qui nourrissent les rires des banquets militaires. Il était naturellement **pudique**. J'étais frappé de l'extrême **bienséance** des propos qu'il tenait aux femmes, de quelque rang qu'elles fussent. En face de nous la petite barmaid, dont j'ai oublié le prénom mais que nous appelions « **Bout de sein** », **remplissait** nos

soigneusement rebouchée carefully recorked

était rangée was put away

comptoir counter

n'avait d'yeux que pour lui only had eyes for him

sourire de vierge virginal smile

exigences demands

à tour de rôle one by one

sans façons with alacrity

nous n'avions qu'à disparaître we had no choice but to get out

elle s'extasiait she went into ecstasy

étirant stretching

ajoutait added

bague ring

bras qui lui manque arm he's missing

Il a failli mourir He almost died

s'émouvoir to show emotion

affreux dreadful, terrible

tranchées trenches

épuisé exhausted

huppée upper-crust

de sa propre bouche from his own mouth

palais *here:* luxury hotel

case cabin (as in *La Case de l'Oncle Tom*)

Elle n'avait pas tardé à tout me rapporter She hadn't delayed in reporting it all to me

à mesure qu'il parlait while he was talking

elle s'était sentie touchée she had felt touched

remuée deeply moved

à nouveau frémissante trembling all over again

dès l'aube at dawn

éclairs flashes

fleurissaient le ciel made the sky bloom

gerbes showers

couleur lilas the color of lilacs

On croirait One would think (it was)

bondit leaped

hurla shouted

déchiqueté torn to shreds

Il fit demi-tour He made an about-turn

tous les quarts d'heure every fifteen minutes

verres. Le commandant Pechkoff ne buvait que du champagne, et sa bouteille, **soigneusement rebouchée**, **était rangée** sous le **comptoir**. « Bout de sein » **n'avait d'yeux que pour lui**. Il la traitait avec une courtoisie digne de Versailles. Elle le remerciait d'un **sourire de vierge**. Avec nous, elle était moins timide, le métier a ses **exigences**, elle nous accordait **à tour de rôle** une entrée **sans façons** dans ce qu'elle nommait son petit boudoir. Mais quand paraissait Pechkoff, **nous n'avions qu'à disparaître**. Le lendemain, **elle s'extasiait** en **étirant** ses bras : « Vous ne pouvez pas savoir, c'est du feu. » Elle **ajoutait** : « Regarde ce qu'il m'a donné. » Elle montrait une **bague**, un bracelet. Pechkoff était la générosité même. « Et puis c'est un héros, il n'y a qu'à voir le **bras qui lui manque**. **Il a failli mourir** pour la France. Quelque part, ça m'inspire. »

*
* *

« Bout de sein » n'était pas la seule à **s'émouvoir**. Ces jours **affreux** de Pechkoff, caporal au combat dans les **tranchées** d'Artois, blessé, **épuisé**, amputé, j'en tiens le récit d'une autre admiratrice, celle-là très **huppée**, qui l'avait entendu **de sa propre bouche**. Un soir d'abandon où ils étaient tous deux, dans un de ces **palais** de Marrakech que par modestie on nomme une « **case** », il lui avait dit : « Vous voulez vraiment savoir ? Je ne raconte jamais… Ne le répétez à personne. » **Elle n'avait pas tardé à tout me rapporter.** Je dis « tout », car elle confessait qu'**à mesure qu'il parlait, elle s'était sentie touchée**, puis **remuée**. « À ce point retournée, je ne pouvais résister. » J'avais bien compris et je l'écoutais, **à nouveau frémissante**.

C'était devant Arras, le 9 mai 1915. L'attaque devait commencer **dès l'aube**. Il faisait déjà chaud. Les **éclairs** de l'artillerie **fleurissaient le ciel** de **gerbes couleur lilas**. « C'est beau », lui dit son capitaine. « **On croirait** une éruption du Vésuve », répondit-il. À l'heure précise, il **bondit** de la tranchée, et sur le parapet, **hurla** « En avant » en levant sa baïonnette. Il reçut un choc et aperçut son bras qui pendait, **déchiqueté**, dans sa manche. **Il fit demi-tour** et marcha, s'arrêtant **tous les quarts d'heure**, perdant son sang, jusqu'au poste

à l'arrière on the rear lines

au milieu des mourants in the midst of the dying

plaindre pity

sur place on site

s'était déclarée had set in

grelottait de fièvre was shivering with fever

pourrissait was rotting

avait déniché had flushed out

charretier carter

siffler blow his whistle (for departure)

blessés wounded men

en règle (with papers) in order

wagons train cars

complets full up

Si tu ne nous laisses pas monter If you don't let us board

je te brûle I'll blow your brains out

douleur pain

Hôpital Américain, à Neuilly American Hospital in an upscale suburb on the western edge of Paris, founded in 1914 to care for wounded soldiers

Aussitôt arrivé Immediately upon his arrival

on le confie they turn him over

chirurgien surgeon

par hasard by chance

traverse la pièce is walking across the room

il n'en peut plus he's worn out

il s'apprête à He's ready to

infirmière nurse

se soulève raises himself up

C'est ce qu'on va voir We'll see about that

elle ne se doutait pas she did not suspect

enfile à nouveau sa blouse put his smock back on

a goûté tasted

inespéré unexpected

L'inévitable…toujours the inevitable never arrives unexpectedly, the unexpected always does

endurci hardened

sensible sensitive

médical, loin **à l'arrière**.

Il y passa deux nuits, **au milieu des mourants**, et se dit pour se réconforter : « Je ne suis pas le plus à **plaindre**. » Au matin, un infirmier l'examina. On ne pouvait l'amputer **sur place**, le poste n'étant pas équipé. Il fallait l'évacuer, mais la gangrène **s'était déclarée** et progressait vite, il **grelottait de fièvre** et son bras **pourrissait**. Aurait-il le temps ? Un officier, moins blessé que lui, **avait déniché** au village voisin un **charretier** capable de les mener jusqu'à la gare. Il comptait les minutes. Heureusement le train était prêt à partir. Le chef de gare allait **siffler**. Mais le chef de convoi s'y opposa. Les deux **blessés** n'étaient pas **en règle**, ils n'avaient pas de papiers, et d'ailleurs les **wagons** étaient **complets**... De la main gauche, Pechkoff sortit son revolver : « **Si tu ne nous laisses pas monter, je te brûle**. »

Il s'embarque pour Paris. L'odeur de son bras devient insupportable, la **douleur** aussi. À la gare du Nord, Dieu sait comment, il trouve un transport pour l'**Hôpital Américain, à Neuilly. Aussitôt arrivé**, **on le confie** au chapelain qui l'exhorte à bien mourir. Le **chirurgien, par hasard, traverse la pièce : il n'en peut plus**, il s'apprête à rentrer chez lui, il a opéré toute la nuit. « Amputez-moi, docteur, s'il vous plaît. » L'**infirmière** dit en anglais : « Il ne vivra pas longtemps. » Pechkoff **se soulève**, furieux : « **C'est ce qu'on va voir**. » L'infirmière s'excuse, **elle ne se doutait pas** qu'il comprenait l'anglais. Le chirurgien enlève son manteau, **enfile à nouveau sa blouse** : « Allons-y, vite. »

Une fois de plus, Zinovi **a goûté** ce mélange de cruauté, de tendresse, d'**inespéré** qui lui fut offert tout au long de sa vie. Il eût aimé ce mot de Keynes que j'ai manqué de lui citer : « **L'inévitable ne survient jamais, l'inattendu toujours**. » Après tant d'épreuves, on aurait cru qu'il s'était **endurci**. Je le vois **sensible** comme une âme d'enfant.

*
* *

complice accomplice

caporal corporal

inapte unfit

réformé discharged

pensionné drawing a pension

on l'expédie they send him

ils feraient bien they would do well

À peine de retour (He was) hardly back home (that)

lâcher pied give up

boches *(derogatory)* Germans, Krauts

Mandchourie Manchuria

pagaille chaos

transfuge renegade

fusiller to shoot

espion spy

ils l'hébergent they put him up

Faites comme chez vous Make yourself at home

bourre stuffs (with tobacco)

modèle numéro sept classified documents

Ce qui touche à What concerns

j'ai des antennes I have contacts

boulevard Saint-Germain famous Left-Bank artery in Paris, location
  of the offices of the Ministry of Foreign Affairs

Il se gratte la tête He scratches his head

« Ton Pechkoff, s'écrie le camarade du bureau du personnel, et qui est devenu mon **complice**, c'est un fameux client ! Il était **caporal** en 1915. Blessé, amputé d'un bras, il est déclaré **inapte** au service, **réformé**, décoré, **pensionné**. Normal et triste, le pauvre diable, mais qu'y faire ? Tout d'un coup, le caporal devient officier, **on l'expédie** en Amérique dire aux Américains qu'**ils feraient bien** d'entrer en guerre parce qu'on a besoin d'eux. **À peine de retour**, on l'envoie chez les Russes, cette fois pour leur dire de ne pas **lâcher pied** et de continuer à se battre contre les **boches**. Il parle au nom de la France mais il n'a de français que notre uniforme. Nous sommes en 1917, il sera naturalisé en 1923. Après des mois à Petrograd, il passe en Roumanie, en Grèce, en Sibérie, en **Mandchourie**, au Caucase, partout où règne la **pagaille**. Il y circule trois ans.

« Pour les chefs rouges ou blancs, communistes ou tsaristes, qui se font la guerre civile en bons militaires, crois-tu qu'il soit un **transfuge** de chez eux, un mercenaire de chez nous, un traître à **fusiller**, un **espion** comme tant d'autres ? Eh bien non. Ces messieurs le reçoivent, **ils l'hébergent** : bienvenue, mon cher capitaine. **Faites comme chez vous**. Pas croyable ! »

Mon camarade **bourre** sa pipe.

« Ce que je te dis, je l'ai découvert dans ses états de service, **modèle numéro sept**. Document confidentiel. Je n'ai pas le droit de le communiquer, sauf autorisation. Mon patron m'a averti : " **Ce qui touche à** Pechkoff est secret, rigoureusement secret." Ça donne envie de savoir. Je pars en permission demain, je passerai au ministère, je me renseignerai : **j'ai des antennes, boulevard Saint-Germain**. »

Il se gratte la tête. Pechkoff faisait de même, avec le même geste.

attablés seated at a table
verre glass (of wine)
qui ne désemplit pas which is always filled
tirer une bouffée take a puff
J'ai eu tort I was wrong
sur-le-champ right away
indices clues
éclairantes enlightening
Qu'on me pardonne Please forgive me
imagier image maker
ne s'en cache pas makes no secret of it
a restauré ses forces got his strength back
vaincu overcame
il noue sa cravate he ties his tie
serre ses lacets ties his shoes (laces)
habileté skill
défend forbids
pécule savings
filer to dash off
pèlerinage pilgrimage
recommandable commendable
tenue militaire bleu horizon sky blue military uniform
retaillée sur mesure tailored to fit
ornée de galons trimmed with stripes
rutilantes gleaming
fort seyant highly becoming

VI

Mon camarade revint le mois suivant, et nous passâmes ensemble une longue soirée, peut-être deux, comme on sait le faire quand on est jeune, **attablés** devant un **verre qui ne désemplit pas**. « J'ai découvert le secret de ton étoile », commença-t-il. Je le vis **tirer une bouffée** de sa pipe pour accompagner le plaisir de son exposé. **J'ai eu tort** de ne pas, **sur-le-champ**, en noter les détails. J'écris ceci longtemps après, mon souvenir se mêle à ce que j'y ai ajouté, **indices**, indications, inventions **éclairantes**, venus par la suite. **Qu'on me pardonne** cet amalgame, je ne suis pas un biographe, je suis un **imagier**, je ne sais pas classer mes vues, mais je crois que la vérité n'y perd pas beaucoup. Mon récit est personnel, contemporain, et **ne s'en cache pas**.

Donc, sorti de l'hôpital à la fin de 1915, le caporal réformé Pechkoff **a restauré ses forces** et **vaincu** son handicap. Seul, **il noue sa cravate**, **serre ses lacets** – il ne dépend de personne –, s'amuse de son **habileté** et **défend** qu'on l'admire. Riche de son « **pécule** », un mot qui le fait rire, il décide de **filer** en Italie, retrouver Capri, Milan, Rome. Le **pèlerinage** lui fait du bien : pieuse convalescence. L'ambassadeur de Nicolas II à Paris l'a signalé à son collègue de Rome. Pour un représentant du Tsar, le fils adoptif de Gorki est suspect, mais le blessé de guerre est **recommandable**.

Il est séduisant, avec de bonnes manières acquises on ne sait où, il parle le français, l'anglais, l'italien – assez mal à vrai dire, mais de façon qui amuse. Il a adopté la **tenue militaire bleu horizon**, **retaillée sur mesure**, **ornée de galons** modestes et de décorations **rutilantes**, ce qui fait un assemblage **fort seyant** par les temps qui

manche droite right sleeve
cousue sewn
mutilé disabled person
faire des conférences give lectures
boue mud
enchaîne sur moves on to
féeries enchantments
chatoiement changing lustre, glitter
se pâme is overcome
rassasie satiates
chimères illusions

d'autant plus vif all the more acute
s'éternise is bogged down
elle prend racine it is taking root
tranchées trenches
s'enfoncent sink into
ébranlée undermined
l'inquiétude serre les gorges anxiety leaves a lump in people's throat
défaitisme defeatism
rôde is on the prowl
apeurée frightened
se calfeutre shuts itself up
se rétrécir to shrink
veuves widows
embusqués soldiers in cushy postings
a toutes les chances de se faire remarquer has every chance to get
    himself noticed
beau monde high society
il sait y faire *in effect:* he's good at mixing and mingling
que faire de lui what to make of him
qui ne sait rien faire who doesn't know how to do anything
Il se le demande wonders about it
s'en inquiète worries about it
ne le montre pas doesn't show it
comment s'y prendre how to go about it
Parmi eux Among them
figure is

courent. La **manche droite** est **cousue** à la poche. On applaudit le beau **mutilé** souriant, on l'invite à **faire des conférences**. Il commence par un récit de l'enfer, le feu, le sang, la **boue**, puis **enchaîne sur** le paradis : l'humanité régénérée par son sacrifice, ayant pris la haine en horreur, fait d'une société des nations sincères la sainte loi du nouveau monde. Il dénonce, puis annonce. Zinovi Pechkoff, le fils du visionnaire de Nijni-Novgorod, du prophète de Capri, proclame à cœur joie ses divinations bienheureuses. Prudent, il évite d'en préciser la couleur politique. Héroïsme et angélisme, ces deux **féeries**, suffisent. Il expose leur **chatoiement**. Le public **se pâme** et **rassasie** son besoin de **chimères**.

*
* *

Le besoin est **d'autant plus vif** que les choses vont mal sur ce qu'on appelle « le front ». La guerre **s'éternise**. On croirait qu'**elle prend racine** dans les **tranchées** de nos champs où **s'enfoncent** les morts. L'autorité du commandement est **ébranlée**. On signale à mots couverts des mutineries dans la troupe, des grèves dans les usines. Zinovi retrouve un Paris où **l'inquiétude serre les gorges**. Un **défaitisme** qui ne dit pas son nom **rôde** dans la nuit d'hiver. La ville **apeurée se calfeutre** et semble **se rétrécir**. Les jeunes sont au front, les vieux à l'arrière avec les **veuves** et les orphelins. N'y résident que les agents des ministères et autres administrations, des commerçants indispensables, quelques **embusqués** timides, le personnel des ambassades alliées. Un jeune héros au bras coupé **a toutes les chances de se faire remarquer**. On parlait de lui à Rome, on parle de lui à Paris dans ce qu'il reste de société. Comme dit mon camarade du personnel : « Zinovi Pechkoff a toujours aimé le **beau monde, il sait y faire**. »

Mais **que faire de lui, qui ne sait rien faire** ? Il se le demande, s'en **inquiète, ne le montre pas**. Il rencontre beaucoup de gens qui lui veulent du bien, mais ne savent **comment s'y prendre**. **Parmi eux**, m'explique Jean Chauvel, **figure** un diplomate du Quai d'Orsay, haut

hospitaliers   disposed to
Ils ont bavardé   They talked
à nos côtés   on our side
On ne cesse de leur dépêcher   They don't stop dispatching
pour les presser   to urge them
Outre   In addition to
démarches   initiatives
manchot   one-armed man
faire vibrer   to stir
foules   crowds
s'imposent aux   make their presence felt
à la vue basse   short-sighted
simple troupier   lowly soldier
réformé   *here:* unfit for service
combattant   on active duty
cela va de soi   that goes without saying
le tour est joué   that did the trick
états de service   powers that be

a...tenu   contained
coupe   champagne glass
qu'il a vidée   that he emptied
velours   velvet
guéridon   pedestal table
encombré   cluttered
devinette   riddle
rébus   puzzle
a donné lieu   gave rise to
cocasse   funny
nous étonner   to surprise ourselves
niveau   level
se traite   is dealt with

placé, bien placé, Philippe Berthelot, et sa femme Hélène, gens du monde et de Paris, **hospitaliers** aux idées neuves, aux personnalités rares. **Ils ont bavardé**, un verre à la main, sur le sujet que chacun a en tête : l'intervention **à nos côtés** des États-Unis, question de vie ou de mort.

Il la faut maintenant, tout de suite. **On ne cesse de leur dépêcher** messages et missions **pour les presser. Outre** ces **démarches** en haut lieu, pourquoi ne pas envoyer ce jeune **manchot** de la Légion **faire vibrer** les cœurs américains, ces cœurs qui, en fin de compte, commandent aux **foules** et **s'imposent aux** pouvoirs publics, en l'occurrence au président Woodrow Wilson, prophète **à la vue basse**, démocrate élu sous la bannière « Je vous garantis la paix ».

Évidemment, notre jeune émissaire ne peut se présenter comme un **simple troupier**. Du reste, il faut montrer que la France honore ses braves. Sous-lieutenant ? Lieutenant ? Va pour lieutenant. Il est **réformé**, il n'est plus **combattant** ? Soit. Il sera lieutenant interprète, à titre temporaire **cela va de soi**, pour la durée de sa mission, soyons clairs. « Alors, dit mon expert du personnel, tu as compris, **le tour est joué**. Crois-moi, je sais faire parler les **états de service**. »

*   *
* *

En effet. L'avenir de Zinovi Pechkoff **a** sans doute **tenu**, ces jours-là, dans la **coupe qu'il a vidée** trop vite, et qu'il a laissée sur le **velours** du **guéridon encombré**. Il aurait dû la garder en souvenir pour la saluer de temps en temps d'un air de connivence, en songeant aux fortunes de la vie, cette **devinette**, ce **rébus**. Mais il ne savait pas. On ne sait jamais. On a raison de dire que les commencements sont toujours un mystère.

La décision de son départ **a donné lieu** à un échange **cocasse** de télégrammes entre le président du Conseil, ministre des Affaires étrangères, M. Briand, et son ambassadeur à Washington, M. Jusserand. Car, notons-le pour **nous étonner**, c'est à ce **niveau** que le sujet **se traite**. Voici le message annonciateur du ministre.

durée de son séjour lenth of his stay

il s'est engagé dans he joined

doué gifted

mondains socialite

cherchent la petite bête nit-pick

prennent la mouche hit bull's eye

tatillonne is finicky

Que diable va raconter ce Pechkoff What the devil is this Pechkoff
  going to say

qu'on lui impose who's being forced on him

que vont en penser les Russes what are the Russians going to
  think

que je fusse renseigné that I be informed

portée impact

Agira-t-il Will he be acting

approbation approval

appartient au parti conservateur le plus prononcé belongs to the
  most conservative party

inconvénients drawbacks

à ce que l'ambassade de France montrât if the embassy of France
  showed

empressement eagerness

qui se trouverait contraster that would be found to contrast

Que valent ces remarques What good were these comments

balayées swept aside

célébrer les pâquerettes pick daisies, *i.e.,* waste time

Quant à l'avis As to the opinion

ne vous en souciez pas don't worry about it

s'impatiente gets annoyed

s'est conduit en héros has behaved like a hero

il a séjourné he stayed

il a été reçu he was received

la plus choisie the most select

avocat advocate

je suis persuadé que *here:* I am certain that

vous l'accueillerez you will welcome him

« Le lieutenant Pechkoff, de nationalité russe, partira au début de septembre pour les États-Unis, où il fera, pendant la **durée de son séjour**, une série de conférences ; **il s'est engagé dans** l'armée française, où il s'est glorieusement comporté, a été amputé d'un bras, et est particulièrement **doué** [*sic*] pour intéresser le public américain. Il a beaucoup de lettres de recommandation pour les milieux **mondains**, universitaires, charitables. Je vous le recommande tout spécialement [*souligné*] et vous prie de l'aider de toutes manières. »

On dit que les diplomates **cherchent la petite bête** et souvent **prennent la mouche**, parfois même les deux. C'est le cas. Au lieu d'acquiescer, l'ambassadeur **tatillonne**. **Que diable va raconter ce Pechkoff qu'on lui impose**, et **que vont en penser les Russes** ? Il répond donc par ce télégramme : « Il serait fort important **que je fusse renseigné** d'une manière générale sur le sujet et la **portée** des conférences que le fils de Gorki se propose de faire aux États-Unis. **Agira-t-il** avec l'**approbation** du Gouvernement russe ? Le représentant de ce Gouvernement aux États-Unis **appartient au parti conservateur le plus prononcé** et je n'ai pas besoin de signaler les **inconvénients** qu'il y aurait **à ce que l'ambassade de France montrât** vis-à-vis de cet officier un **empressement qui se trouverait contraster** avec l'attitude de l'ambassade russe. »

Que valent ces remarques, vues de Paris ? Elles sont **balayées**. Voyons, monsieur Jusserand, croyez-vous que notre émissaire vienne **célébrer les pâquerettes** sur les champs de bataille ? **Quant à l'avis** de vos collègues russes, en l'état actuel des choses, **ne vous en souciez pas**, nous savons ce que nous faisons. Le ministre **s'impatiente**. Citation : « Je réponds à votre télégramme. Le lieutenant Pechkoff **s'est conduit en héros** de l'armée française ; **il a séjourné** pendant sa convalescence à Rome où **il a été reçu** et fêté aussi bien par les Russes de la société que par les Italiens ; à Paris, il a de même été accueilli et reçu partout aussi bien par les membres de l'ambassade russe que par la société française **la plus choisie**. Il a autant de délicatesse et de modestie que d'enthousiasme et d'intelligence. Il serait difficile de trouver un meilleur **avocat** de la cause française et **je suis persuadé que vous l'accueillerez**, comme

bienveillance kindness

de toutes manières in every way

vous voilà envoyé sur les roses there, you've been sent packing

comminatoire threatening

inusuel unusual

s'emportent lose their temper

grogne grumbles

amertume bitterness

a été menée had been led

exiger demand

ce qu'il entreprend what(ever) he undertakes

chicanée quibbled over

Quai d'Orsay Left Bank riverfront street in Paris that has given its name to the Ministry of Foreign Affairs

m'avait loué had rented to me

de notre mieux as best we could

débordait de was overflowing with

droit straight, *i.e.*, with ramrod-straight posture

chauve bald

basané tanned

impeccablement mis *here:* smartly dressed

se prétendre claim

il allait nous manquer we were going to miss him

aux anges in heaven

publie son éloge sings his praises in public

comble packed

recette recipe

égaye delights

attendrit moves (emotionally)

fend le cœur the heart breaks

ne lui font pas défaut are not in short supply

sinon à cœur joie if not wholeheartedly

lui commande commissions him (to write)

scénario screenplay

se bousculent jostle each other

sous-marins submarines

je vous le demande, avec la plus grande **bienveillance** et l'aiderez discrètement **de toutes manières**. »

Autrement dit, c'est un ordre, comprenez-le, monsieur Jusserand, **vous voilà envoyé sur les roses**. Le ton de votre ministre est **comminatoire**, **inusuel**, ce n'est pas ainsi que d'habitude le Département traite ses agents. Si les diplomates **s'emportent** comme des militaires, où allons-nous ? **grogne** votre **amertume**…

Naturellement, Zinovi ne sait rien de tout cela. L'affaire **a été menée** par Philippe Berthelot qui a pour habitude d'**exiger** la réussite de **ce qu'il entreprend**. Fort de la confiance de M. Briand, il ne souffre pas que son autorité soit **chicanée**. Elle est en effet sans conteste, on s'en souvenait encore quand, vingt-cinq ans plus tard, j'arrivai au **Quai d'Orsay**. J'ai connu sa veuve, Hélène, qui **m'avait loué** à la Libération la chambre de son fils. « Oui, me disait-elle, nous aimions beaucoup Zinovi et l'avons aidé **de notre mieux**. Il **débordait de** charme. Pas grand, mais très **droit**, déjà **chauve**, le visage jeune et **basané**, les yeux parfois sombres, la voix toujours gaie, **impeccablement mis**, irrésistible. Avec son accent russe, il ne disait pas " la France ", mais " la chère France ", comme s'il parlait d'une grande amie dont il n'osait pas **se prétendre** l'intime. Je regrettais de le voir partir, et savais qu'**il allait nous manquer**. Lui était **aux anges**. »

*
* *

La mission du lieutenant interprète Pechkoff va durer neuf mois. M. Jusserand, comme on pouvait s'y attendre, lui manifeste à présent la plus vive amitié et **publie son éloge**. Il parcourt les États-Unis, apprend à les connaître et partout où il parle, la salle est **comble**. Sa **recette** ne varie pas puisqu'elle est bonne : il fait rire et pleurer. Son humour **égaye**, son discours **attendrit**, son accent enchante. Et puis, ce bras arraché, alors qu'il le levait pour commander l'assaut ! C'est beau, c'est grand, cela **fend le cœur**. Les suffrages féminins **ne lui font pas défaut** et son ardeur en profite à plaisir, **sinon à cœur joie**. Hollywood propose un film et **lui commande** un **scénario**.

Pendant ce temps, les événements **se bousculent**. Les **sous-marins**

tapis au fond des mers   lurking at the bottom of the seas
coulent sans préavis   sink without warning
neutre   neutral
Qui plus est   What's more
chasse gardée   private hunting ground; *here:* back yard
bornes   limits
franchies   crossed
navré   upset
Il fait don   He makes a donation
recette   collected funds

apatride   stateless
bombant le torse   swaggering
courbant le dos   bending over
il sillonnait   he was crisscrossing
famélique   half-starved
méprisant   contemptuous
emploi dérisoire   crummy job
en butte   exposed to
le brimait   bullied him
le gâte   spoils him
s'allonge au fur et à mesure   gets longer as he goes along
il y tient   he holds it dear
La Fontaine   Jean de La Fontaine (1621–1695), famed 17th-century moralist, poet, and author of fables
moitié de la vérité   half of the truth
il aurait pu ajouter   he could have added
Selon que vous serez...noirs   In "Les Animaux malades de la peste," La Fontaine deplores arbitrary judgments according to social rank, writing "Selon que vous serez puissant ou misérable, les jugements de cour vous rendront blancs ou noirs/According to whether you are powerful or lowly, the judgments of the royal court will paint you white or black." Huré says he could have added "Selon que vous serez puissant ou misérable, vous aurez sur autrui des avis blancs ou noirs/According to whether you are powerful or lowly, you will have black or white opinions of other people."
Je ne puis m'empêcher de penser à   I can't help but think about
Bosphore   the Strait of Bosporus
eau vive   white water

allemands **tapis au fond des mers coulent sans préavis** les cargos de la **neutre** Amérique. Sacrilège. **Qui plus est**, le Kaiser ose proposer au Mexique un pacte d'amitié. Le Mexique, **chasse gardée** de Washington et de Monroe son doctrinaire ! Les **bornes** de l'intolérable sont **franchies**. Mr Wilson, **navré** mais convaincu, déclare la guerre au Reich allemand.

Pechkoff rentre à Paris. On le fête. **Il fait don** à l'Hôpital Américain d'une bonne part de la **recette** de ses conférences. « Cet argent ne m'appartient pas. »

*
* *

Il a beaucoup changé. Il n'est plus le petit émigré, **apatride**, **bombant le torse** par instants, **courbant le dos** plus souvent. Il a pris place, il joue un rôle, dans la grande tragédie de la guerre des mondes. Dix ans auparavant, **il sillonnait** ces mêmes États-Unis dont il revient, il était un routier **famélique**, misérable et **méprisant**, cherchant un **emploi dérisoire**, **en butte** aux patrons rapaces et aux compagnons abjects. Il s'est relevé, révélé dans cette nouvelle traversée d'un désert qui s'est peuplé d'applaudissements. Il peut la tête haute songer à Gorki dont il était le timide écolier, Gorki le père vénéré, l'exemple incomparable. Il s'est montré digne de lui. Il a réussi seul. On l'écoute. On le reconnaît, il n'est plus un reflet.

Sa vie, donc, s'est transformée. Sa vue aussi. Il détestait le monde qui **le brimait**, il glorifie le public qui **le gâte**. À commencer par celui d'Amérique. « Un grand pays, un peuple vertueux, j'ai mis du temps à le reconnaître. » Il s'y est fait des amis dont il a noté les adresses et conserve l'attache. La liste **s'allonge au fur et à mesure**, **il y tient. La Fontaine** n'annonce que la **moitié de la vérité : il aurait pu ajouter** à sa fable : « **Selon que vous serez puissant ou misérable, vous aurez sur autrui des avis blancs ou noirs.** »

Je ne puis m'empêcher de penser à cette confidence de Zinovi, lorsqu'il me disait, à la fin de sa vie, au bord du **Bosphore** qui coulait son **eau vive** : « C'est à cause de ma blessure que je suis devenu

antique et poignante leçon d'Israël   ancient and poignant lesson of Israel

au cours de   during

mes années en Terre sainte ou promise   my years in the Holy or Promised Land. The author served as France's ambassador to Israel.

valeur mystérieuse   mysterious value

épreuve   test

Amoindri   Diminished

le rehausse   raised him

du même coup   by the same token

plat d'argent   silver platter

Il a goûté la saveur   He tasted the flavor

Il n'épousera pas   He will not espouse

n'écartera pas   will not dismiss

il les situera à bonne hauteur   he will place them at the right level

Hauteur d'homme   (At the) height of a man

quelqu'un. » « Quelqu'un d'autre », avait rectifié Jacqueline. « Non, quelqu'un », avait-il insisté. Sa destinée vérifiait l'**antique et poignante leçon d'Israël** que j'ai tant entendue **au cours de mes années en Terre sainte ou promise**, sur la **valeur mystérieuse**, mais assurée, de l'**épreuve**. Pechkoff est amputé. **Amoindri** ? Au contraire. Sa mutilation le distingue, son infirmité le stimule, son infortune **le rehausse**. Il est, en effet, devenu quelqu'un.

Il a **du même coup** découvert l'ambition. Le succès la lui présente sur un **plat d'argent**, comme il est d'usage en Amérique. Le succès, l'ambition… **Il a goûté la saveur** de celui-ci, la vigueur de celle-là. **Il n'épousera pas** leurs prétentions, mais **n'écartera pas** leurs promesses. Étant de bonne nature, **il les situera à bonne hauteur. Hauteur d'homme**, peut-on dire.

déception disappointment

acquis the established order, acquired goods

gâchis waste

abrégé summary

lutte à mort fight to the death

insensés mortels insane mortals

conjugués combined

secours rescue

soulagement relief

fléchit weakens

refluer surge back

répit respite

chef head

M. Poincaré Raymond Poincaré (1860–1934), conservative French politician who was elected president of France in 1913

M. Painlevé Paul Painlevé (1863–1933), French mathematician who served as prime minister of the Third Republic in 1917 and 1925

général Pétain Philippe Pétain (1856–1951), hero of the Battle of Verdun who was made commander-in-chief of the army in 1917. As head of the Vichy government during World War II, he collaborated with the occupying Germans and was convicted of treason after the war.

se concertent consult

chemin des Dames stretch of road north of Paris that witnessed the rout of the French armies in 1917 and its subsequent mutinies

Verdun The Battle of Verdun was fought between the German and French armies around the city of Verdun-sur-Meuse in northeast France. Lasting from February to December 1916, it left a quarter million soldiers dead and half a million wounded.

hécatombe slaughter

Nul n'ose avouer No one dares admit

Piètre consolation Small comfort

rompre les rangs to break ranks

s'emparer to seize

M. Noulens Joseph Noulens (1864–1944), French politician who served as minister of war and minister of finance during World War I

Gers southern province of France, famed for its quality poultry and the strong Occitan accent of its inhabitants

en qualité de in the capacity of

VII

À elle seule, l'année 1917 est un drame de l'espérance et de la **déception**, de l'**acquis** et du **gâchis**, du pire et du meilleur, un **abrégé** de l'histoire, un épitomé de l'existence et de l'absurdité : la **lutte à mort** des **insensés mortels**. Le bien et le mal chaque heure confrontés ou **conjugués**, comme, pourrait-on le croire, le Diable et le bon Dieu.

Au début de l'année, les États-Unis viennent à notre **secours**. Immense **soulagement**. Au même instant surgit la pire des menaces, le Tsar abdique, le front de l'Est **fléchit**, donnant aux divisions allemandes la liberté de **refluer** vers nos lignes. De quel **répit** disposons-nous ? Le **chef** de l'État, **M. Poincaré**, le chef du gouvernement, **M. Painlevé**, le chef des armées, le **général Pétain**, **se concertent**, se rassurent, s'alarment. La bataille du **chemin des Dames**, joli nom, fut un massacre, **Verdun** perpétue son **hécatombe**. **Nul n'ose avouer** ce qu'il pense pour ne pas « démoraliser l'opinion ». Elle l'est déjà, et ne peut l'être davantage. **Piètre consolation**, nous avons pour nous le droit. Dès l'ouverture des hostilités, chacune des puissances alliées – France, Belgique, Angleterre, Serbie, Russie – s'est engagée à refuser toute paix séparée. Mais que valent les notes des chancelleries face aux harangues des bolcheviks qui ordonnent aux soldats-paysans de **rompre les rangs**, de rentrer au village et de **s'emparer** des terres ? La terre et la paix, programme irrésistible…

Le 24 mai 1917 le gouvernement français a désigné **M. Noulens**, sénateur du **Gers** à l'accent vigoureux, **en qualité d'**ambassadeur auprès des nouvelles autorités de Petrograd. Il y rencontrera

Alexander Kerenski (1881–1970) Russian revolutionary leader who was instrumental in overthrowing the monarchy. He headed the Russian Provisional Government from July to October 1917, but was forced to flee the country when Lenin seized power in the October Revolution. He lived in exile for the rest of his life.

éviter à tout prix avoid at all cost

blessé dans nos rangs wounded in action in our ranks
qui prend fait et cause who takes the cause
poursuite pursuit
conjoncture circumstances
débattre debate
en écarter la raison abandon the cause
Tâchons d'imaginer Try to conceive
méconnaissable unrecognizable
effondré collapsed
déchirés ripped to pieces
légèrement penché sur le côté gauche slightly leaning to the left
migrateur migrant
jeune loup solitaire young lone wolf
prône advocates
il chérit he cherishes
idée qu'il s'en fait idea he conjures up of it
quand elle lui manque when he misses it
sauvage wild
ne s'imposent à lui...s'ils only matter to him if they
à sa convenance when it suits him
libertaire libertarian
à certains égards in certain respects
usages customs
s'y laisser enfermer
se font nomades wander off
équivoque equivocation
il en fait son statut he made it his status

Kerenski, le chef du gouvernement provisoire. Son mandat tient en peu de mots : **éviter à tout prix** la défection de l'allié russe.

*
* *

Lorsqu'on demande à Zinovi Pechkoff s'il accepterait de se joindre à cette mission (car on le sollicite, on ne l'oblige pas), il s'y déclare prêt. Pour l'État-major, il est l'homme indiqué. Le fils adoptif d'une personnalité majeure de la Russie nouvelle, **blessé dans nos rangs**, **qui prend fait et cause** pour la **poursuite** de la guerre russo-allemande : on ne peut espérer mieux. Pour lui, la **conjoncture** est plus complexe. Il ne cherche pas à en **débattre**. La décision est hasardeuse ? Raison de plus pour **en écarter la raison**. **Tâchons d'imaginer** ce que représente ce retour au pays natal, pays transfiguré, **méconnaissable**. L'ancien régime **effondré**, le nouveau divisé, le territoire décomposé, les esprits **déchirés**. Que pensent les amis de jeunesse qu'unissait la confiance dans une révolution, sainte comme la patrie elle-même ?

Et lui, qui est-il, qui n'est-il pas, ce héros juvénile, **légèrement penché sur le côté gauche** puisque l'absence du bras droit le déséquilibre, toujours instable et **migrateur** ? Ce n'est pas un **jeune loup solitaire**, il aime et **prône** la fraternité des hommes, **il chérit** la tendresse des femmes, surtout l'**idée qu'il s'en fait quand elle lui manque**. Il a des amis, pas de famille. Il n'est pas **sauvage**, il est singulier.

Les sentiments **ne s'imposent à lui** que s'ils viennent **à sa convenance** et librement. On ne peut pas dire qu'il soit **libertaire**, il n'a nulle envie de démolir la société, **à certains égards** il est même docile à ses **usages**. Le temps est passé où il cultivait l'anarchie. Il apprécie l'ordre au contraire, mais il a peur de **s'y laisser enfermer**. Ses loyautés, alors, **se font nomades**.

« *Vamos.* » Partons… J'entends ces mots dans sa bouche. L'**équivoque**, sorte d'évasion immobile, est son état de préférence. On croirait qu'**il en fait son statut**.

il est satisfait he is pleased

en conserve la dévotion retains (his) devotion to it

Il a...souscrit un nouvel engagement *in effect:* He re-enlisted

ne figure plus is no longer

effectifs *here:* ranks

il n'en a pas l'esprit *in effect:* he's not cut out for it

Aîné Eldest

il a rompu avec elle he has broken with it

corps et âme body and soul

plus que jamais more than ever

il le demeure he remains it

il ne partage pas he doesn't share

conduites behaviors

il va prêcher he is going to advocate

au fond du cœur at heart

bigarrés mottled

airain bronze

moins définissable less definable

éclatant striking

Malraux André Malraux (1901–1976), a towering figure of 20th-century France. An anti-fascist militant, author, minister, and maverick ally of Charles de Gaulle, he was a promoter of and spokesman for French national culture.

bravoure bravery

bravade bravado

Dieu m'a donné un sang froid qui brûle God has given me a cold-bloodedness that burns

pour le compte de on behalf of

avec un galon de plus sur la manche with another (military) stripe on his sleeve

on l'a fait capitaine they have made him a captain

titre status

ne peut se prévaloir de cannot claim

détenteur holder

lui porter aide en cas de besoin give him help if he needs it

suivant que depending on whether

Est-il français ? Non, mais **il est satisfait** que la France l'emploie. Est-il russe ? Il n'en possède plus la nationalité, mais **en conserve la dévotion**. Militaire ? **Il a**, en juin 1916, **souscrit un nouvel engagement** pour la durée de la guerre, mais n'est plus combattant et **ne figure plus** dans les **effectifs** de la Légion. Civil ? Non, il n'en a pas l'emploi, **il n'en a pas l'esprit**. **Aîné** d'une famille juive de Nijni-Novgorod ? Oui, mais **il a rompu avec elle**, **corps et âme**, il n'en parle pas, on croirait qu'il ne le sait plus. Fils adoptif de Gorki ? Certes, **plus que jamais il le demeure**, mais il a quitté cet homme dont **il ne partage pas** toutes les valeurs ni n'approuve toutes les **conduites**. Pour finir, **il va prêcher** la guerre qu'**au fond du cœur** il abhorre. On croirait que les tables de sa loi ne portent que des préceptes confus ou **bigarrés**. En vérité, elles inscrivent dans l'**airain** trois mots clairs : Cœur, Courage, et le dernier – celui-ci, **moins définissable** mais **éclatant** – Honneur.

Dont il fera, pour paraphraser **Malraux**, « une patrie ».

*
* *

Sa **bravoure** ressemble parfois à une **bravade**. Comme le père de mon amie Martine, il dirait volontiers : « On n'a pas peur du noir. » Son humour m'a répété souvent : « **Dieu m'a donné un sang froid qui brûle**. »

Il débarque donc à Petrograd le 27 juin 1917, chargé de mission **pour le compte d'**un pays qui n'est pas le sien, mais pour lequel il s'est battu et dont il porte l'uniforme, **avec un galon de plus sur la manche**, car **on l'a fait capitaine**, ce qui montre qu'on prend au sérieux son mandat. De quel passeport dispose-t-il puisqu'il n'a pas de **titre** russe et **ne peut se prévaloir d'**une identité française ? Sans doute a-t-on tourné la difficulté en lui délivrant un document diplomatique, grande feuille de papier blanc qui ne mentionne pas la nationalité du **détenteur**, et recommande seulement aux amis et alliés de la République de **lui porter aide en cas de besoin**.

Il va retrouver des Russes qui ont entre leurs mains une part du destin français, **suivant qu'**ils restent fidèles à l'alliance ou qu'ils la

désavouent disavow
rejetons offsprings
Il se démarque des he sets himself apart from
fureurs fury
effrayent frighten
Il craint He fears
prêchent preach
Il redoute He fears
se méfie de is wary of
Où va-t-il mettre les pieds Where is he going to set foot
comment il sera accueilli how he'll be received
il avait prévu ce théâtre he had anticipated this drama
à ce point redoutable so daunting
Manière de parler In a manner of speaking
redoutable formidable
commensaux mess hall buddies
sortis de who come from
terroir land (attachment to)
ne sort de rien comes from nothing
dérange bothers
titrés titled
peut-il être des nôtres can he be one of us
Néanmoins Nevertheless
sent senses

auteur de ses jours his father
qui l'a maudit who has cursed him
imprimeur printer
frère cadet younger brother
autorité montante rising authority

désavouent. Ce sont des amis de son père qu'il n'a pas revu depuis des années, des **rejetons** d'une même famille mais séparés par de profondes fractures. **Il se démarque des** bolcheviks dont les **fureurs** l'**effrayent**. **Il craint** les utopistes qui **prêchent** la clémence et couvrent les crimes. **Il redoute** l'anarchie et **se méfie de** la dictature. **Où va-t-il mettre les pieds** ? Lui, le Parisien qui veut que la guerre continue, qu'anime une vision « raisonnable » de la révolution, se demande **comment il sera accueilli**, ami, adversaire, renégat, exilé de retour ? Il est tout cela, du reste, à la fois. Ces émotions, ces doutes, avec pour décor la solennité dramatique du temps, **il avait prévu ce théâtre**, il ne croyait pas que la partie serait **à ce point redoutable**. Et solitaire.

Administrativement, il est intégré à la Mission militaire française qui dépend de l'ambassade. Intégré ? **Manière de parler.** Ses **commensaux** sont des officiers de carrière et de tradition, **sortis de** bonnes écoles et de nobles familles dont la pensée, au demeurant rurale, procède du **terroir** et de l'hérédité. Zinovi Pechkoff, mystérieux, inclassable, qui a ses entrées chez les Rouges et **ne sort de rien**, **dérange** ces patriciens **titrés**, pour qui la provenance, ou simplement la naissance, fait l'individu et assigne sa place. Bien sûr, sa blessure l'honore, et même le qualifie. Bravo le volontaire, le valeureux. Mais doit-on lui faire confiance ? C'est oui ou non. « Il n'est pas de chez nous, **peut-il être des nôtres** ? » **Néanmoins**, ils déjeunent et dînent à la même table… Il faut sauver la face.

Le capitaine Pechkoff **sent** cela. C'est peu dire qu'il est seul. Le terme manque qui signifierait davantage. Les mots ne disent pas tout.

*
* *

On peut penser qu'il n'a pas revu Nijni-Novgorod où réside l'**auteur de ses jours**, le père **qui l'a maudit**, le vieil **imprimeur** remarié. Par contre, il a pu joindre son **frère cadet** Jakov, qui est à présent une personnalité considérable, une **autorité montante**,

convaincu staunch

cessez-le-feu cease-fire

par commodité for (the sake of) convenience

grippe espagnole Spanish flu

ne se sont jamais entendus never got along

Ils ne se sont pas rapprochés They did not become closer

opiniâtres stubborn persons

a-t-il revu son autre frère did he see his other brother again

pour finir to end up

Lui ont-elles pardonné Have they forgiven him

retrouvailles reunion

Apprenant sa blessure Learning of his injury

chargée de roubles full of rubles (The Russian currency)

effusion effusiveness

creusent-elles did they dig

fossé ditch

qu'on franchit mal that one has difficulty crossing

Un peu ceci, un peu cela A little of this, a little of that

brouilles quarrels

coriaces tough

entiers whole

partagés shared

meneur leader

au profit de on behalf of

soutien support

adhésion membership

échauffé stirred up, overheated

il a...couvé he let smolder

fièvre *here:* fervor

puise draws on

jumeler to bring together

traités treaties

partis pris biases

bolchevik **convaincu**, partisan d'un immédiat **cessez-le-feu** et qui sera l'an prochain (j'anticipe **par commodité**) président du Comité exécutif central, c'est-à-dire le premier personnage de l'État. Avant de mourir de la **grippe espagnole**, il aura le temps d'ordonner l'assassinat de la famille impériale dans une cave de la ville d'Ekaterinbourg qui, pour célébrer ce crime, portera le nom du criminel, son propre nom, Sverdlov. Les deux frères **ne se sont jamais entendus**, même pendant leur enfance. **Ils ne se sont pas rapprochés** ce jour-là. Il ne faut pas compter sur ces deux **opiniâtres** pour s'accorder le baiser de paix.

Zinovi **a-t-il revu son autre frère**, Vienamine, qui présidera la Croix-Rouge soviétique et régnera sur les chemins de fer, avant d'être arrêté par Staline en 1937, **pour finir** au Goulag ? Peut-être. Sans doute. Et ses sœurs, elles aussi gagnées à la Révolution ? **Lui ont-elles pardonné** d'avoir déserté le camp familial ?

Avec Gorki, les **retrouvailles** ont dû être différentes. Sans nul doute pathétiques. **Apprenant sa blessure**, Gorki lui a écrit une lettre glaciale, mais **chargée de roubles**. Il lui a dédicacé son nouveau livre, *La Mère*, en des termes de miel et d'acide : « À mon fils bien aimé devenu, est-ce possible, un Français chauvin. » Des années de séparation (et quelles années) stimulent-elles l'**effusion** du retour, ou **creusent-elles** un **fossé** qu'**on franchit mal**, en prétendant qu'il n'existe pas ? **Un peu ceci, un peu cela.** Les deux hommes n'ont cessé de s'aimer malgré leurs **brouilles**. Ils sont tendres et **coriaces**, **entiers** et **partagés**. Gorki est un **meneur** qui fuit l'avant-garde. Bien que proche de Lénine, il l'accuse du pire, un détournement de la pensée révolutionnaire **au profit de** l'action répressive ; il offre son **soutien** aux bolcheviks mais leur refuse son **adhésion** ; patriote **échauffé**, **il a longtemps couvé** sa **fièvre** dans un exil volontaire. N'est-ce pas dans son exemple que Zinovi **puise** sa capacité à **jumeler** les incompatibles ?

L'un parle de la guerre comme d'un mal absolu, l'autre du respect des **traités** comme d'un bien suprême. Oh, ironie des sincérités que forgent les **partis pris** ! Aucun ne convainc l'autre, les mots sont durs, les yeux en larmes. On sait pleurer, dans ces cas-là, quand on

entamée damaged
appartiennent belong
qui ne désespèrent jamais who never lose hope

rapports reports
à travers throughout
les plus faibles the weakest
non les plus coupables not the guiltiest
chute fall
avocat lawyer
fermeté firmness
souverain déchu deposed sovereign
affect le geste *here:* affects the pose
poitrine chest
engagés dans stuck in between
veste jacket
que celle que lui prête...éloquence except that which an empty/ futile eloquence lent him during a speech
croiseur *Aurora* cruiser *Aurora* (naval ship serving as headquarters to the Bolsheviks)
mouille anchors
à l'abri *here:* safe
défier challenge
régissaient governed
est en passe de réaliser is well on the way to carrying out
qu'il ne soupçonnait pas that had not entered his mind
Il y a deux mois Two months ago
il a fait instaurer he set up
brider maintain
soumettent submit
paix à tout prix peace at any price
sur-le-champ on the spot
exigence demand

est russe. La dissension n'a pas détruit la dévotion, ni ce qu'elle provoque de tendresse, trop intime pour être **entamée**. Les deux hommes **appartiennent** à la catégorie de ceux **qui ne désespèrent jamais** des réunions du cœur.

*
* *

Que disent les **rapports** que M. Noulens, l'ambassadeur, adresse à Paris[1] ?

« Il apparaît **à travers** l'histoire que les princes victimes des révolutions sont généralement **les plus faibles**, **non les plus coupables**. » Voilà qui commente la **chute** de Nicolas II. L'avocat Kerenski, à la tête du gouvernement provisoire, n'a pas plus de **fermeté** que le **souverain déchu**. Il a pris le titre de Commandant en chef, il habite l'appartement du Tsar, il **affecte le geste** de Napoléon, la main sur la **poitrine**, les doigts **engagés dans** les boutons d'une **veste** militaire, mais n'a d'autorité **que celle que lui prête, le temps d'un discours, une vaine éloquence**. Quant aux bolcheviks, regroupés dans le petit **croiseur *Aurora*** qui **mouille** sur la Neva, ils se considèrent **à l'abri** pour **défier** le pouvoir, préparer la paix avec l'Allemagne, et abolir les institutions qui **régissaient** l'Empire depuis tant de siècles. Lénine, leur chef, **est en passe de réaliser** son programme avec une facilité **qu'il ne soupçonnait pas**. « **Il y a deux mois**, s'écrie-t-il, quand nous avons pris le Palais d'hiver, nous ne pensions nous maintenir qu'une semaine ou deux[2]. » Dans l'armée, **il a fait instaurer** des comités de soldats qui, non contents de **brider** la discipline, **soumettent** à leur vote l'opportunité des opérations. Dans leurs assemblées confuses, la **paix à tout prix**, **sur-le-champ**, est l'**exigence** prioritaire.

*
* *

---

1. Extrait de l'article paru dans *L'Illustration* du 2 septembre 1933.

2. Cité par l'ambassadeur Noulens.

se dépense exerts himself

au-delà de l'indispensable beyond what was necessary

Prêcher la poursuite To preach the pursuit

réclame calls for

Gageure Challenge

Il la tente He tries it

Galicie Galicia, a historical region in Central Europe, in what is today Poland and Ukraine

Broussilov Alexei Brussilov (1853–1926), Russian general who led a famed offensive in 1917 in Galicia, attempting to keep Russia from falling into revolutionary turmoil. He later joined the Bolsheviks, but they never fully trusted him.

armée jadis impériale former imperial army

détiennent hold

on se déteste they hated each other

digne worthy

Kornilov Lavr Kornilov (1870–1918), Cossack general who opposed the Bolshevik movement and led an ill-fated military campaign against Red Army forces

se targue boasts

Faute de l'obtenir Unable to achieve it

avorte aborts

Il n'en a cure He couldn't care less

arpente paces up and down

conciliabules consultations

grisé drunk

coup d'épaule push of the shoulder

Parbleu, il s'en doute You can be sure he's aware of it

se fâche gets upset

Brest-Litovsk city in Belorus where the Bolsheviks signed a treaty with Germany, putting an end to Russia's involvement in the war

Zinovi **se dépense au-delà de l'indispensable**. Mais que peut-il ? **Prêcher la poursuite** de la guerre, lui, le fils adoptif d'un Gorki qui **réclame** le contraire, le Russe sous uniforme français… **Gageure. Il la tente**. Tout d'abord, il participe à l'offensive en **Galicie** du général **Broussilov**, dernier spasme de l'**armée jadis impériale**. De retour à Petrograd, il assaille tous ceux qui, à n'importe quel titre, **détiennent** ou vont détenir une autorité, Lénine, Trotski, **Zinoviev**[1], **Kamenev**[2] qui, d'ailleurs, ne sont pas tous des amis de son père : **on se déteste** vigoureusement, dans le clan des Soviets. Ce qui ne l'empêche pas de se compromettre avec le dernier général **digne** de ce nom, **Kornilov**, qui **se targue** de rétablir la discipline militaire si on lui en donne le pouvoir. **Faute de l'obtenir**, Kornilov se prépare à le prendre, il fomente un coup d'État qui **avorte** et en conséquence raffermit la révolution. Pechkoff, de plus en plus actif, de plus en plus secret, est dans la même proportion suspect et surveillé. **Il n'en a cure.** Comme si de rien n'était, il **arpente** avec délices les merveilleux quais de la cité de Pierre le Grand, tard dans la nuit, au sortir de ses **conciliabules** mystérieux. « Ah, cette ville, la lumière bleue d'opale, ces soirs-là » : après quarante ans, il en était encore **grisé**. Il risque à chaque instant sa vie. On peut si facilement disparaître, dans l'eau de la Neva. Un **coup d'épaule**. Le manchot ne s'en sortira pas. On le lui fait savoir. **Parbleu, il s'en doute.**

Gorki **se fâche** : « Va-t'en ! »

Le 7 novembre, les bolcheviks ont réussi leur coup. Kerenski est en fuite, Lénine est au pouvoir. Le 15 décembre l'armistice de **Brest-Litovsk** met fin à la guerre russo-allemande. Zinovi débarque à Paris.

---

1. Grigory Zinoviev (1883–1936), a close associate of Lenin who initially opposed, but later took part in, the October Revolution. After Lenin's death in 1924, he and Lev Kamenev (see below) formed a governing troika with Joseph Stalin, but Stalin soon turned against them. Zinoviev was executed for allegedly plotting to kill Stalin in 1936.

2. Lev Kamenev (1883–1936), prominent Bolshevik who, with Grigory Zinoviev, was a top lieutenant of Lenin. A founding member—and later chairman—of the Politburo, Kamenev was executed along with Zinoviev and 14 others in 1936, in one of Joseph Stalin's many purges of opponents.

elle a échoué   it failed

Qui lui en tiendrait rigueur   Who would hold it against him

il s'est exposé sans mesure   he put himself at excessive risk

consacré   established

il va être mêlé   he is going to be mixed up in

visées   objectives

déverser   unload

étendue   expanse

dévasté   ravaged

La mission était impossible et **elle a échoué. Qui lui en tiendrait rigueur** ? Au contraire, **il s'est exposé sans mesure** pour la cause du droit et des Alliés. Le capitaine Pechkoff est reçu par le président de la République, par le Premier ministre, par le Généralissime, par le ministre des Affaires étrangères. Le voilà **consacré**. Il n'a pas terminé. Pendant les trois ans à venir **il va être mêlé** aux calculs diplomatiques, entreprises militaires, **visées** économiques, qui vont **déverser** leurs illusions dans l'immense **étendue** du continent **dévasté**.

je n'y comprends plus rien I know nothing more

il serait bien d'y voir clair it'd be worth figuring out

il fait nuit it's dark

D'autres sauront Others will know

me tend la perche throws me a line

au fil des ans over the years

aveux confessions

récit story

frôle comes close to

Il précise It clarifies

personne...ne dirige vraiment no one...really supervises

on se demande you (have to) ask yourself

limpide clear

mis à la disposition made available

Il est muni (de) *in effect:* He is carrying

Foch Ferdinand Foch (1851–1929), French general who was made a marshal of France and supreme commander of the Allied armies in 1918. At the end of the war, he advocated peace terms to ensure that Germany would never pose a threat to France again. But after the Treaty of Versailles, he stated prophetically, "This is not a peace. It is an armistice for 20 years."

Sarrail Maurice Sarrail (1856–1929), French general assigned to the Eastern front, (Armées d'Orient), based in Salonika, Greece, where he supported a coup against King Constantine. His only offensive was a failure, and he was relieved of his command by Clemenceau in 1916.

soulagerait *in effect:* would take some of the pressure off

ne songent pas qu'à la guerre are not just thinking of the war

Ils craignent They fear

sournoise underhanded

enivrent intoxicate

il s'aperçoit he realizes

a traité has signed a treaty

Il en est quitte He gets off lightly

ce qu'il leur apprend what he can learn from them

téméraire reckless

VIII

« À partir de ce moment-là, **je n'y comprends plus rien**. C'est pourtant là qu'**il serait bien d'y voir clair**. Dans la Russie d'après-guerre, **il fait nuit**. Pechkoff y circule. Il y a peut-être des gens qui savent. **D'autres sauront**. Si tu veux essayer… » Mon ami **me tend la perche**.

Petit à petit, **au fil des ans** et des **aveux**, j'essaye de reconstituer un **récit** succinct qui **frôle** la vérité. Le voici. **Il précise**, de notre héros, le second portrait, celui de l'aventurier russe que **personne**, semble-t-il, **ne dirige vraiment** et que rien n'arrête. Mais à chaque moment **on se demande** : pourquoi ?

Comme en d'autres mystères, tout est **limpide** au début. Le capitaine Pechkoff, officier interprète **mis à la disposition** du Quai d'Orsay, est envoyé en Roumanie. **Il est muni** d'une lettre du général **Foch** au général **Sarrail**, commandant des Armées d'Orient, qui le désigne ainsi : « le capitaine Pechkoff, Russe d'origine qui a loyalement servi la France ». L'idée de l'État-major est d'établir un front qui **soulagerait** le nôtre. Mais les Alliés **ne songent pas qu'à la guerre**. **Ils craignent** partout, et même chez eux, la propagande ostensible ou **sournoise** des mouvements communistes dont les promesses **enivrent** les foules les plus inertes. Pechkoff qui, au fond de son cœur célèbre la paix, la justice, accepte la mission d'en combattre le rêve.

En arrivant à Salonique, **il s'aperçoit** qu'il vient trop tard. La Roumanie **a traité** avec Vienne et Berlin. La mission est annulée. **Il en est quitte** pour fêter Noël en Grèce. Après quoi, il part aux États-Unis rencontrer ses amis de là-bas, toujours curieux de **ce qu'il leur apprend**. Puis il revient sur Paris. Alors commence pour lui une vie troublée et **téméraire**.

brèches military breaches

mandements mandates

Il importe que soient renseignés It matters that...be informed

État-major headquarters

afin de in order

l'imprévu the unexpected

déceler detect

tenir tête stand up to

entretenir maintain

aux allures confiantes with reliable appearance

puissances alliées allied powers

deviner to guess

devancer to preempt

défaire to break up

surveiller watch

Mourmansk...Arkhangelsk two maritime cities, both near the Arctic Circle in northwestern Russia, whose naval bases were coveted by the British

ont pris pied have gotten a foothold

Légion tchèque Czech volunteers who constituted a fighting force during World War I in various European countries

Caucase Caucasus, a region in Eurasia bordered by Russia to the north, Turkey to the southwest, the Black Sea to the west, the Caspian Sea to the east, and Iran to the south

Crimée Crimea, the peninsula famous as the arguable locus of the first world war (Crimean War), coveted by British and the French alike, today annexed within Ukraine and continued object of geopolitical claims

Sébastopol naval base in Crimea whose name is synonymous with the Crimean War

inavouée hidden

polichinelle open secret

supplée makes up for it

surgissant emerging

Ils mènent grande vie They live it up

*
* *

Presque sans discontinuer jusqu'en décembre 1921, il va explorer les **brèches** de l'Empire disloqué.

Je crois lire par-dessus son épaule les **mandements** qui le concernent. C'est l'État, c'est l'Histoire, qui parlent dans leur langue de cour. Voici : « **Il importe que soient renseignés l'État-major** et le Quai d'Orsay sur les événements qui traversent ce théâtre, **afin de** ne pas être surpris par **l'imprévu**. En premier lieu, **déceler** l'autorité qui viendrait à s'affirmer, capable de **tenir tête** au danger bolchevique, évaluer ses chances de succès, lui porter ou lui promettre notre assistance en échange des services qu'elle pourrait rendre. Par ailleurs, **entretenir** une liaison **aux allures confiantes** avec les agents des **puissances alliées**, afin de **deviner**, de **devancer** ou de **défaire** leurs entreprises. Enfin, **surveiller** les mouvements de l'Armée rouge et son aptitude à restaurer l'unité de l'Empire. » Tout cela, bien dit, paraît simple…

La réalité quotidienne, sur ces trois sujets, est complexe. Pour ce qui est de l'action des puissances, on voit les Anglais débarquer à **Mourmansk** et à **Arkhangelsk**, où nous sommes également présents. Les Américains, voisins par la côte du Pacifique, surveillent la Sibérie. Les Japonais, comme on peut le penser, **ont pris pied** à Vladivostok où campe déjà la puissante **Légion tchèque**. Aux portes de l'Europe, les Anglais s'intéressent au **Caucase**. Nous avons des vues sur la **Crimée** et sur l'Ukraine. Nos navires sont à l'ancre, à **Sébastopol**. Chacun a l'ambition **inavouée**, secret d'État et de **polichinelle**, d'établir une base pour une action future dont il ne sait anticiper les circonstances. En d'autres termes, l'intention des puissances s'embarque dans le rêve.

De son côté, l'administration russe, privée de sa tête, se survit localement, mais oublie sa raison. L'anarchie y **supplée**. Des aventuriers de tous bords, **surgissant** du chaos, s'attribuent un fief et un destin. **Ils mènent grande vie**, un instant, puis disparaissent, généralement de mort violente. Ce sont parfois des illuminés nostalgiques, d'anciens officiers du Tsar, intrépides et arrogants, que

l'on se figure semblables one imagines (to be) similar

repus sated

aigle bicéphale et griffu double-headed and clawed eagle (Tsarist imperial emblem)

orne decorates

étendard standard

Ils se déchirent They tear apart

lambeaux shreds

dont ils prétendent incarner of which they claim to represent

de clocher en clocher from town to town

s'est consacré devoted himself

redressement recovery

rétablit restores

ranime rekindles

répartit distributes (not to be confused with *repartir* = to take leave)

moyens resources

ont plié bagage have packed up and gone

emménage moves in

tour à tour affecté by turns assigned

Pelliot Paul Pelliot (1878–1945), French expert on China and the Far East who served as a military attaché in Beijing during World War I. A gallery in the Musée Guimet is named after him.

Janin Maurice Janin (1862–1946), French general and head of several military missions, who brought back the last photographs of the Russian imperial family

comte de Martel Damien, comte de Martel (1878–1940), head of a diplomatic mission to Syria

entremises interventions

Casse-tête Headache

se débauchent are corrupted

insensé insane

s'affrontent clash

de toute nature of all types

ordonnés ordered

traqueurs de butin bounty hunters

agissant acting

indécis undecided

délation informing (on someone)

tripots gambling dens

comptes se règlent accounts are settled

l'on se figure semblables, en plus rapaces et **repus**, à l'**aigle bicéphale et griffu** qui **orne** leur **étendard** : un œil sur le gain, un œil sur la gloire. **Ils se déchirent** les **lambeaux** de l'Empire **dont ils prétendent incarner** la résurrection.

Quant à la Révolution, on l'imagine portée **de clocher en clocher** par Lev Bronstein, dit Léon Trotski, qui **s'est consacré** au **redressement** de l'armée désormais rouge. Il n'y va pas par quatre chemins : il **rétablit** la discipline, **ranime** les ardeurs, **répartit** les **moyens**, reconquiert les places. Quand ses soldats victorieux **ont plié bagage**, les Soviets installent leur répression. La dictature **emménage**. On dit que c'est celle du prolétariat.

*
* *

Le capitaine Pechkoff est **tour à tour affecté** à la mission **Pelliot**, puis à celle du haut-commissaire Regnault, puis du général **Janin**, et enfin du **comte de Martel**. Par ces **entremises**, le gouvernement français recherche l'information qui cautionnera sa politique. **Casse-tête**. Il ne découvre qu'une décomposition où **se débauchent** l'**insensé** et l'instable. La situation, pourrait-on dire, ne se situe nulle part dans la Russie géante[1].

Les forces qui **s'affrontent** sont **de toute nature**, régiments **ordonnés**, plus souvent bandes irrégulières, ou même simples **traqueurs de butin**, gens de la steppe ou de la montagne **agissant** en groupe. Rouges contre Blancs ? Ce serait trop simple. Il y a les fanatiques et les fluctuants, les intermédiaires, les **indécis**, les intrigants. Combats classiques et calculés obéissant aux règles ? Ce serait trop clair. Les armes en service n'ont parfois rien de martial : **délation**, corruption, extorsion, trilogie de l'or du vin et des femmes. Les champs de bataille sont alors des chambres d'hôtel, des **tripots** où les **comptes se règlent** à l'aube et dans l'ombre. Tout aussi bien.

Zinovi ne cesse d'examiner ce qu'il voit pour comprendre ce qui

---

1. Pour décrire cette atmosphère, je renvoie volontiers au beau livre de Robert de Goulaine, *Les Seigneurs de la mort*.

il s'interroge he wonders about

se déchiffrer to figure himself out

font la paire are two of a kind

ne se démarient pas cannot be separated

marques d'origine signs of (his) background

demeurées that have remained

promettre promising

avènement the advent

de l'an prochain until next year, a reference to the phrase "next year in Jerusalem," uttered at the end of the Passover meal

prêcher preaching

aux côtés de at the side of

crise crisis

créatrice creative

naîtra will be born

froide analyse cold analysis

vaille is worthwhile

seront-ils vertueux will they be virtuous

recul *here:* (an opportunity to) step back

répit respite

sonder les ténèbres delve into mysteries

Il ne se confie He doesn't confide

se méfier de to be wary of

fous crazy people

qu'il retrouve ou qu'il se fait that he's meeting again/that he's getting to know

il mesure ce qu'il dit he measures his words

fantassins foot soldiers

piétonnières pedestrian

garde-à-vous ne sont pas gênés aux entournures standing to attention doesn't make them flinch

Il n'a pas le goût des procès-verbaux He doesn't have the stomach for verbal accusations

déraciné uprooted soul

foule walks on

écorchée vive laid barren

éprouve experiences

déchirement heartbreak

à vif raw

impavide undaunted

est, et n'a peur de rien. En même temps, mais avec une curiosité imprégnée d'inquiétude, **il s'interroge** lui-même, pour **se déchiffrer**. Les deux enquêtes **font la paire** et **ne se démarient pas.** Les circonstances lui rappellent ses **marques d'origine demeurées** intactes : il entend la religion de son enfance **promettre** l'**avènement** de la cité sainte, et la rencontre « **de l'an prochain** » ; il entend son adolescence **prêcher** la révolution **aux côtés de** Gorki ; il veut croire comme alors que la **crise** est **créatrice**, et qu'un ordre volontaire **naîtra** du désordre nécessaire.

La **froide analyse** des partis, de leur vérité, de leurs chances, ne lui dit rien. Ou plutôt rien qui **vaille**. À défaut de la raison, il consulte son instinct, son oracle. Des anges, sous ses yeux, sont devenus exterminateurs. Des démons **seront-ils vertueux** ? Quand l'époque aura-t-elle un regard ? et lui, un **recul**, un **répit**, pour **sonder les ténèbres** ?

Il déteste l'abstention, elle n'est pas dans sa nature. Alors, quel jeu va-t-il jouer ? En a-t-il un, en a-t-il deux ? **Il ne se confie** à personne : il faut **se méfier de** tout le monde, dans ce monde de **fous**.

Certes, on le questionne à chaque instant, lui le Russe qui devrait savoir. Même devant ses amis américains ou anglais **qu'il retrouve ou qu'il se fait, il mesure ce qu'il dit.** Quant aux Français, ils sont pour la plupart des **fantassins** aux idées **piétonnières** et dont les **garde-à-vous ne sont pas gênés aux entournures.** Pechkoff, tel que je le connais, a toujours eu un problème avec les militaires qui ne sont que cela.

Il n'écrit pas ou très peu, pas souvent. **Il n'a pas le goût des procès-verbaux** et ne l'a jamais eu. Faire rapport ? Non, il ne sait pas. En sorte que si l'on n'apprend pas beaucoup grâce à lui, on n'apprend guère sur lui. Souvent, on perd sa trace. Il ne se laisse pas fixer, ce **déraciné** qui **foule, écorchée vive**, la terre natale dont il souffre. Il ressent chaque passion qu'il observe, **éprouve** chaque **déchirement** qu'il rencontre. Son cœur, ouvert à tous les vents, est **à vif**.

Il passe, **impavide**, sans aveu ni ami. Libre, seul et muet. Terriblement. Je répète : libre, seul et muet. Cela fait l'ensemble qu'il

coûte que coûte whatever the cost

for intérieur heart of hearts

frôlant brushing against

délabrée dilapidated

Semonov Grigori Semonov (1890–1946), counter-revolutionary commander in the Baikal region, considered a bandit and thug

au fin fond in the depths of

Transbaïkalie region around Lake Baikal, one of the largest reserves of fresh water in the world, in Central Asia

frontière russo-mandchoue Russian-Manchurian border

mafflue round-faced

s'est taillé carved out for himself

le long du along

chemin de fer railroad, *i.e.*, the Trans-Siberian Railroad

relie links

Irkousk Irkutsk (pop. 594,000), one of the largest cities in Siberia

Vladivostok (pop. 595,000) Russia's largest port city on the Pacific Ocean, not far from the Russian-Chinese border and Korea

grâce à thanks to

bouriates Mongolian race in Russian Central Asia

Il se fait fort d'écraser He is sure he can crush

si on lui en fournit les moyens if someone gives him the means

Sa chanson est connue from the expression "on connaît la chanson"= we know all about it

qu'on lui livre that is delivered to him

escroquerie swindle

Privé de subsides Deprived of any subsidies

lâché dropped

Ungern Sternberg (1886–1921) anti-Bolshevik lieutenant general who fought the Red Army with Grigori Semonov

décavé ruined

innombrables innumerable

péripéties major turns of events

Omsk (pop. 1.34 million) city at the foot of the Ural mountain range, briefly the capital city of anti-Bolshevik White Russia

Koltchak Alexander Koltchak (1874–1920), Russian fleet admiral who attempted a counter-revolutionary campaign

au terme at the end

rallie returns to

maintient **coûte que coûte**, le **for intérieur** où il se retranche. Je crois le voir, **frôlant** le mur gris d'une rue **délabrée** dans une ville sans nom située en Asie, quelque part. Il l'a voulu.

*
* *

Il prend d'abord contact avec le cosaque **Semonov**, **au fin fond** de la **Transbaïkalie**, sur la **frontière russo-mandchoue**. L'ataman Semonov, et flanqué d'une maîtresse **mafflue**, **s'est taillé** une principauté **le long du chemin de fer** qui **relie Irkousk** à **Vladivostok**, **grâce à** une horde de mercenaires **bouriates** et mongols. **Il se fait fort d'écraser** les bolcheviks **si on lui en fournit les moyens. Sa chanson est connue**, mais elle flatte les oreilles des Alliés. On ne tarde pas à découvrir son incapacité, son imposture, sa dépravation. Il revend le matériel **qu'on lui livre**. Pechkoff n'est pas seul à dénoncer l'**escroquerie**. **Privé de subsides**, **lâché** par son ami **Ungern Sternberg**, dit le « Baron fou », l'ataman **décavé** s'enfuira en Chine et débarrassera le paysage, mais après d'**innombrables** et incroyables **péripéties**.

Plus à l'ouest, vers l'Oural, Pechkoff rejoint **Omsk**. La ville, jadis endormie dans sa mélancolie provinciale, grouille à présent de la faune des folles circonstances, réfugiés, solliciteurs, conspirateurs et tutti quanti. Un Comité national antibolchevique s'y est formé. Elle fait figure de capitale de la Russie blanche. L'amiral **Koltchak**, un vrai chef de guerre, ancien commandant de la flotte du Tsar en mer Noire, s'y est installé, **au terme** d'un fabuleux périple et d'étonnantes aventures. Il a confisqué pour lui tous les pouvoirs civils et militaires et s'est proclamé Régent. Il dispose de la puissante Légion tchèque. Les Alliés songent à reconnaître son autorité et lui accordent leur soutien. Pechkoff **rallie** son quartier général.

*
* *

enfant de bohème, et n'a jamais connu de lois   *in effect:* "free bohemian spirit who has never paid attention to the rules," a quote from Bizet's *Carmen*, here ascribed to Pechkoff who gets along with diverse individuals

Il admet He accepts

nage swims

le nom d'un responsable the name (*i.e.,* Sverdlov) of one of those responsible (for). Zinovi's brother Jakov, as the People's Commissar, ordered the execution of the imperial family in Ekaterinburg.

perte downfall

a déserté ses drapeaux dodged the draft (during the Russian-Japanese war)

se bousculent *in effect:* bump into each other

Mission française a diplomatic mission, often military in nature, short of a full-fledged embassy

pris en charge taken care of

à quel rythme at what rate

il bouge he moves around

D'est en ouest From east to west

le transsibérien roule depuis cinq ans the Trans-Siberian Railroad has been running for five years

traîneau sled

fourgon wagon

charrette cart

taïga venteuse wind-swept Russian cone forests

gelé frozen

mélèzes larch trees

y pratiquent le culte des ours worship bears there

où dort-il where does he sleep

s'allonge stretches out

étendue expanse

sans troupeau *here:* barren, devoid of herds

perd sa mesure loses its sense of proportion

Coups de cafard, ou de tête Fits of depression, or of madness

infidélité du probable unfaithfulness of the probable

Décidément, l'amitié est, elle aussi, « **enfant de bohème, et n'a jamais connu de lois** ». Entre Koltchak et Pechkoff, le contact est bon. Il me l'a dit un jour, je ne sais plus à quel propos. Un témoin, le capitaine Delmas[1], le confirme. Les deux hommes, totalement différents, s'apprécient. Pechkoff admire le patriotisme exigeant de l'amiral, lui qui n'a pas de patrie. **Il admet** ses idées brutales et simples, lui qui **nage** entre les nuances et les diversités. Il aide Koltchak à réorganiser son armée, lui qui n'a de militaire que sa blessure et son uniforme. Que raconte-t-il à ces officiers de l'Armée blanche qui servirent le Tsar, lui qui porte **le nom d'un responsable** de sa **perte** et **a déserté ses drapeaux** ?

Les questions s'accumulent et **se bousculent**, à commencer par les plus prosaïques. Comment vit-il ? Sans doute est-il administré par la **Mission française** et **pris en charge** par son hôte : l'accueil des militaires est toujours généreux. A-t-il des nouvelles de Paris ? On le suppose, mais **à quel rythme** ? Sont-ce des instructions, des informations ?

Évidemment, **il bouge**, il explore « le terrain ». Il n'a jamais tenu en place. **D'est en ouest**, la chose est relativement facile, **le transsibérien roule depuis cinq ans**. Mais pour d'autres trajets, comment fait-il ? Les automobiles, à cette époque et en ces régions, sont aussi rares que les routes qui, comme elles, s'arrêtent à tout bout de champ. On imagine notre homme en **traîneau**, en **fourgon**, en **charrette**, à cheval, à mulet, seul ou en convoi. Quels dangers court-il dans la **taïga venteuse** au sol constamment **gelé**, dont seules s'accommodent les forêts de **mélèzes** déformés par le froid ? Quelques tribus **y pratiquent le culte des ours** et celui des morts. Question de nomade : **où dort-il** ?

Que de beaux sujets pour l'imagination avide ! Nuits trop longues, trop brèves, trop blanches, trop noires. Le temps qui **s'allonge** dans l'**étendue sans troupeau** et, comme elle, **perd sa mesure**. **Coups de cafard, ou de tête**, **infidélité du probable**, certitude de l'insécurité.

---

1. Auteur, en 1963, d'une thèse de troisième cycle en Sorbonne sur *L'État-major français et le front oriental après la révolution bolchevique de 1917.*

guets-apens traps

frappent sans bruit strike without noise

dans la boue, la gadoue in the mud, the manure (from a popular song by Serge Gainsbourg)

mélopée de Borodine monotonous tune from the symphonic poem *In the Steppes of Central Asia* by Alexander Borodin

sifflement whistling

se sent-il tout à coup chez lui all of a sudden he feels at home

bien que proches though close

se soient beaucoup parlé spoke much (to each other)

malhabiles clumsy

rebute disgusts

il vaut bien mieux se taire it's well worth keeping quiet

Ils arborent They display

cierge (votive) candle

ripaillent have a feast

ordonnances orderlies

cartouchières cartridge belts, worn diagonally across the chest

Michel Strogoff hero of Jules Verne's novel by the same name, a story of the tsar's courier and his peregrination from Moscow to Irkutsk. A Russian film version was made in 1925. Here, military orderlies remind the author of characters resembling Strogoff, as might be played by extras on the huge Châtelet operetta stage in Paris.

remplit les verres refills the glasses

empâte coats (the palate)

engourdit dulls (the mind)

veille à watches

flottent float

ombres shadows

linceuls shrouds

sépulture burial place

bénis du Seigneur blessed by God

abattus slaughtered

Les **guets-apens frappent sans bruit** les marcheurs des chemins de traverse. Si l'homme tombe, qui le saura ? « **Dans la boue, la gadoue** », chante Gainsbourg à mon oreille. Puis j'entends la **mélopée de Borodine** : *Dans les steppes de l'Asie centrale.* Puis le **sifflement** du vent.

Et cependant, peut-être, Zinovi Pechkoff **se sent-il tout à coup chez lui**.

*
* *

Je ne crois pas que Koltchak et lui, **bien que proches, se soient beaucoup parlé**. Les vrais aventuriers ne se racontent pas, ils sont **malhabiles** à nommer les mots, le récit les **rebute**. D'ailleurs, par les temps qui courent, **il vaut bien mieux se taire**.

Je les imagine assis face à face, à la même table, pour dîner. Je fabrique une scène qui a des chances d'être vraie et fait vivre ce portrait. **Ils arborent** leurs décorations et leurs insignes, car ce soir, hélas, est solennel, celui d'une commémoration. Un long **cierge** coloré brûle devant l'icône. Ils sont seuls dans la salle, les officiers **ripaillent** dans l'autre, tradition maritime. Deux **ordonnances**, portant sur la poitrine, en diagonale, leurs **cartouchières**, comme les figurants du Châtelet pour jouer **Michel Strogoff**, les servent.

« Mange, dit Koltchak.

— C'est bon », dit Pechkoff.

Ni l'un ni l'autre n'ont faim. Il y a trois mois, jour pour jour, la famille impériale était assassinée, le Tsar, la Tsarine, les cinq enfants, dans la ville d'Ekaterinbourg au pied de l'Oural. L'ordre venait du commissaire du peuple Jakov Sverdlov, le propre frère de Pechkoff. Ils ne disent mot. Ce serait pour dire quoi ? L'ordonnance **remplit les verres** d'un vin du Caucase qui heureusement **empâte** les bouches et **engourdit** les têtes. Ils oublient de manger. Ils boivent.

La garde **veille à** leur porte. Il faut toujours s'attendre à tout. Ils se coucheront tard et ne dormiront pas. Dans la nuit noire comme un pavillon de corsaire **flottent** les **ombres** infernales des Romanov. Sept, ils sont sept, sans **linceuls** ni **sépulture**, **bénis du Seigneur**, **abattus** dans une cave. Qui vengera les Romanov ? Que pense

féal loyal supporter

l'apprend learns of it

Rethondes place where the armistice ending World War I was signed, in a clearing in the Compiègne Forest, northeast of Paris

en pleine Sibérie in the middle of Siberia

exténué exhausted

jour de gloire a line from the *Marseillaise* : le jour de gloire est arrivé = the day of glory has arrived

hymne anthem

deviner *here:* imagine

décrire describe

souffle blows

peau de chagrin shagreen, ever-shrinking skin, a reference to Balzac's novel by the same name; here it is an image of agonizing Russia

sang coule blood flows

détenteur guardian

sera trahi will be betrayed

les siens his own people

fusillé shot

aube dawn

se marchande is being haggled over

s'attarde lingers

il débarque he lands

il repart he leaves again

général Wrangel Pyotr Wrangel (1878–1928), an officer in the Russian imperial army and later commander-in-chief of the White Army in southern Russia. After his forces were defeated, he fled Russia and became one of the most prominent White Russian émigrés in Europe. He is believed to have been poisoned by his butler's brother, allegedly a Soviet agent.

autoproclamé self-proclaimed

pactole du manganèse fortune in manganese. Manganese mines abound in the Caucasus.

Pechkoff, frère du responsable ? Et son hôte, Koltchak, **féal** de la victime ?

*
* *

Le 11 novembre 1918 sur le front Ouest, les Allemands capitulent. Zinovi, je suppose, **l'apprend** en même temps que Koltchak. Ont-ils fêté l'événement ? Que signifie l'armistice de **Rethondes** pour un cosaque qui, **en pleine Sibérie**, mène un combat sans fin, survivant d'une armée qui s'est rendue au Kaiser, fidèle d'un Tsar sacrifié, d'un régime **exténué** ? Pechkoff, bien sûr, a des pensées différentes, mais je doute que, pour lui, le **jour de gloire** soit arrivé ce jour-là. Son **hymne** n'est pas encore national. Il faut **deviner** pour découvrir, supposer pour **décrire**. Ces lieux, ces temps, ces hommes, ce qu'ils ont dans le cœur. 11 novembre. Le vent **souffle**, glacial, sous les portes. La nuit tombe tôt, les chemins sont coupés. L'hiver sera long. Russie blanche, **peau de chagrin** dont le **sang coule**.

Comment Pechkoff a-t-il quitté Koltchak ? Le chef du gouvernement contre-révolutionnaire et de ses forces armées, **détenteur** du trésor de l'État et de l'honneur du Trône, **sera trahi** par **les siens**, abandonné par les puissances, capturé par l'Armée rouge et **fusillé**, un matin, à l'**aube**, en 1920.

*
* *

La paix **se marchande** à Versailles. Pechkoff **s'attarde**, parcourt la Mandchourie, se rend au Japon. Qu'y fait-il ? Il passe par les États-Unis pour rejoindre Paris. Encore un tour du monde. Toujours **il débarque** d'ailleurs. En février suivant, **il repart**.

Il est chargé par le Quai d'Orsay d'accompagner le comte de Martel, qu'il a connu à Petrograd, et qui vient d'être nommé auprès du **général Wrangel**, maître **autoproclamé** du Caucase. L'Europe se presse auprès de celui qui, pour un temps, détient le **pactole du manganèse**. Mais encore une fois nous arrivons trop tard. Trotski

souveraineté sovereignty

navires ships

prévus pour d'autres tâches intended for other jobs

fuyards *here:* those who were fleeing

Salomé Andronikov Caucasian princess whom Pechkoff met during his travels and who remained his muse until his death in 1966

dotée endowed

chérir cherish

clair-obscur chiaroscuro, a Renaissance painting technique that emphasizes the interplay of light and shadow, fostering a sense of mystery

rétablit dans la zone la **souveraineté** de Moscou. Nos **navires**, prévus pour d'autres tâches, évacuent les **fuyards**. Nous partons aussi.

Fin brutale de nos espoirs. Mais dans l'existence de Zinovi est survenu un événement considérable. Il a fait la connaissance de **Salomé Andronikov**, la princesse Salomé, belle, intelligente, fière, et **dotée** d'une âme. C'est ainsi qu'un jour il me l'a décrite. Ce sera l'amour de sa vie. Que dire par là ? S'il se le permettait, il m'expliquerait que ces mots désignent l'être que l'on ne se contente pas de **chérir**, celui qu'on aime parce que Dieu vous l'accorde, celui qu'on peut parfois oublier ou abuser, mais qui habite à demeure le fond secret de l'âme. À ce point que, lorsqu'on ferme les yeux, on l'aperçoit comme au premier jour. Je sais qu'à l'instant de sa mort, il a prononcé son nom.

Il m'a parlé d'elle, un soir, à Istanbul, comme si elle était toujours de ce monde. Mais je crois qu'elle était morte. Pas dans son cœur. Je ne tiens pas à violer le **clair-obscur** de sa mémoire.

THIRD PORTRAIT

THE LEGIONNAIRE IN THE RANKS

Heaven, to whom shall I henceforth entrust
The secrets of my soul and the care of my life?

CORNEILLE, Cinna

TROISIÈME PORTRAIT

LE LÉGIONNAIRE DANS LE RANG

Ciel, à qui voulez-vous désormais que je fie
Les secrets de mon âme et le soin de ma vie ?

Corneille, Cinna

les lauriers sont coupés   the laurels have been felled, a line from a celebrated lyrical poem by Theodore de Banville, which he took from a children's song. The poem begins, "Nous n'irons plus au bois, les lauriers sont coupés..." and expresses sadness that the felling of the laurels has destroyed the woods where children played and lovers walked. In effect, the author is saying that just as the woods in the poem are gone forever, so is the old order in Europe, destroyed by "the war to end all wars."

ornent   adorn

se défait   sheds

désœuvré   idle

démobilisé   one who has returned to civilian life

fléau   scourge

s'est abattu sur   has been visited on

secours   aid

si bien que   to the end that

militant   campaigning

plus de mise   no longer acceptable

craché le sang   spit blood

aval   support

se débarrasse   gets rid of

indocile   intractable

encombrant   troublesome

se soigner   to be treated

Marienbad   spa town now known as Marianske Lazne, in the Czech Republic. Its clientele has included Tsar Nicholas II, Mark Twain, Franz Kafka, Sigmund Freud, and Richard Wagner.

Tcheka   a Russian acronym that stands for "Special Commission for the Repression of Counter-Revolutionary Activities and Sabotage," set up to eliminate the enemies of the new regime

pâles   pale, *i.e.*, anti-Communist

très rouge   very red, *i.e.*, supportive of the Communists

il a renoué   he has taken up again

IX

Lorsque Zinovi retrouve la France, une page de l'histoire a été tournée. La guerre est finie, les traités sont signés, **les lauriers sont coupés** : ils **ornent** à présent les vestiges dont Paris **se défait**, le Paris nouveau, Paris futile qu'il découvre au bras de Salomé.

Il n'est pas **désœuvré**. Il travaille même assidûment. Il est devenu secrétaire général d'un organisme humanitaire, la « Commission internationale contre la famine ». Apparemment, c'est le genre d'emploi qui convient à un **démobilisé**, en attendant mieux. Mais c'est plus que cela, et les conséquences personnelles sont importantes. Car le **fléau** qui **s'est abattu sur** la Russie misérable vient d'inspirer à Gorki l'idée d'un « Comité panrusse de **secours** aux paysans », **si bien que** le père et le fils se rejoignent, **militant** ensemble pour la plus pathétique des causes. Les différences de conception, les divergences de conduite, les difficultés de caractère ne sont **plus de mise**. Les deux êtres, à nouveau, communient. Ils se rencontrent fréquemment.

Le nouvel exil de Gorki facilite ces contacts. Car dans le courant de 1921, il a **craché le sang**. Avec l'**aval** de Lénine qui **se débarrasse** ainsi d'un ami **indocile** et **encombrant**, il part **se soigner** dans un sanatorium de la Forêt-Noire puis dans une villa de **Marienbad**. Il n'est pas seul. Deux femmes l'accompagnent, rivales et complémentaires. Mara Budberg, la baronne Budberg, qui a connu les prisons de la **Tcheka** et dont les sentiments à l'égard du régime sont très **pâles** ; et sa première femme, Élisabeth, d'opinion **très rouge**, avec laquelle **il a renoué**. L'une et l'autre représentent les

s'ensuive results
prône advocates
vives lively
tambourine drums (his fingers)
plat de la nappe *in effect:* flat surface of the tablecloth
prend la parole *in effect:* takes the floor
ne la rend plus doesn't give it back
ténues tenuous
bavarde gossip
entamer launch
désavoue disowns
errements transgressions
mutation profound change
se trame is being hatched
complots plots
rend compte gives an account
irrémédiablement bavard irretrievably talkative
crédule gullible
roué cunning
il sait feindre he knows how to feign

frivole frivolous
palpitante thrilling
qui tient which considers
ennui boredom
bon ton good form
du Havre from Le Havre, port city in Normandy, on the English
  Channel, that is a major port of call for ocean liners
malles-cabines steamer trunks
paquebots ocean liners
ignorée unknown
s'est abattue has descended (upon)
nuée horde
qui ne sortent que la nuit that only go out at night
faubourg Saint-Germain Left Bank neighborhood known for its
  cafés, bookstores, antique shops, and publishing houses
frange fringe
d'outre-mer from overseas
dépensent spend
se dépensent sans compter give their all

deux faces de son tempérament, celle qui veut la rigueur pour que justice **s'ensuive**, celle qui **prône** l'indulgence pour que la paix s'installe. Les discussions sont **vives**, les visiteurs nombreux, la table abondante. Lorsqu'il n'est pas d'accord, le maître de maison **tambourine** sa mauvaise humeur sur le **plat de la nappe**, lorsqu'il est d'accord il **prend la parole** et **ne la rend plus**. Zinovi occupe le premier rang des familiers et retrouve, dans la chaleur de l'intimité, les traces **ténues** et tenaces de sa jeunesse.

Pas seulement. On **bavarde** autour de lui. Lénine vient d'**entamer** une nouvelle politique économique qui, sans les dénoncer, **désavoue** les **errements** passés. Est-ce un changement fondamental, une **mutation** opportuniste ? Le petit cercle est passionné, informé de tout ce qui **se trame**, intrigues, **complots**, calculs, manœuvres, dans les comités et les cabinets de Moscou. Zinovi écoute et **rend compte** à ses amis de Paris et de Washington. Gorki le sait-il ? Il est **irrémédiablement bavard**, **crédule**, un peu naïf. Zinovi est fidèle, **roué**, **il sait feindre**.

*
* *

Au regard de l'observateur **frivole**, le Paris de l'époque est une cité **palpitante**, cosmopolite, **qui tient** pour scandaleux ce qui est conformiste, et meurt de peur devant l'**ennui**. Une légère odeur de décomposition parfume déjà cette société retrouvée, où il est de **bon ton** de se prétendre asocial. Rive droite, autour du Ritz, gravitent les étrangers riches, pour la plupart américains, qui débarquent **du Havre** avec leurs **malles-cabines** par **paquebots** entiers, espérant trouver dans la Ville lumière une frénésie fiévreuse **ignorée** du Nouveau Monde. Rive gauche, autour de Montparnasse, **s'est abattue** la **nuée** des virtuoses, des extravagants, d'origine variée ou incertaine, de talents divers ou présumés, **qui ne sortent que la nuit**. Entre deux se situe, au **faubourg Saint-Germain**, une petite **frange** d'aristocrates parisiens, dont les titres sont français et l'argent **d'outre-mer**, les Polignac, les Noailles, les Gramont, les Beaumont, qui **dépensent** et **se dépensent sans compter**.

L'esprit a épousé la fête *in effect:* Everyone was feeling festive.

Léger Fernand Léger (1881–1955), a pioneer of cubism who taught at the "free" art academy of the Grande Chaumière in Montparnasse

Cocteau Jean Cocteau (1889–1963), poet and multitalented artist who held court at Le Boeuf sur le toit, the musical bar that opened in 1921 and was named after a pantomime composed by Cocteau. All the cultural icons patronized the place...except for Proust.

Diaghilev Serge Diaghilev (1872–1929), celebrated impresario of the Ballets Russes

guéridons pedestal tables typical of such cafés as Aux Deux Magots, Le Dôme, etc. in Saint-Germain-des-Prés and Montparnasse

boîtes de nuit nightclubs

inonde inundates

secoue shakes

Walter Berry president of the American Chamber of Commerce in Paris

commandite finances

N.R.F. *Nouvelle Revue Française,* a literary magazine founded in 1909 by André Gide

Babel bigarré colorful tower of Babel

en vue in the public eye

gai cheerful

basané tanned

en diable dashingly

auréolé shrouded (in the mystery)

tribu *here:* crowd

Ce serait du reste Besides that would be

banaliser to trivialize

hors du commun out of the ordinary

ce qui fait leur naturel which made them unaffected

Au surplus Moreover

se racontent talk about themselves

scrupule scruple

en peine de at a loss to

mondains socialites

pourvu que so long as

corps de l'État the Establishment

craint is afraid of

appuis connections

de près close up

roulé sa bosse knock around

L'esprit a épousé la fête. **Léger** enseigne à la Grande Chaumière, **Cocteau** règne au Bœuf sur le toit, **Diaghilev** danse, Picasso peint, Coco Chanel habille. Ezra Pound, T. S. Eliot, Scott Fitzgerald, John Dos Passos, les Crosby, occupent les **guéridons** des Deux Magots ou du Dôme. Le saxophone triomphe dans les **boîtes de nuit** que le jazz **inonde** et le charleston **secoue**. **Walter Berry commandite**, à la **N.R.F.**, l'édition de luxe de Marcel Proust. D. H. Lawrence a publié en 1920 *Les Femmes amoureuses*. Joyce en 1922 donnera *Ulysse*.

Dans ce **Babel bigarré**, Zinovi et Salomé forment un couple **en vue**. Elle est belle, certains disent « somptueuse », et princesse. Lui est **gai, basané**, séduisant **en diable**, **auréolé** du mystère des grands aventuriers. La **tribu** parisienne les adopte. Mais il ne viendrait à personne l'idée de les présenter comme Français. **Ce serait du reste** les **banaliser** et Dieu sait qu'ils ne le méritent pas. Ils sont **hors du commun**, **ce qui fait leur naturel** dans ce monde où chacun veut être incomparable. On ne va pas plus loin dans l'analyse. **Au surplus**, ils ne sont pas de ceux qui **se racontent**, non par un **scrupule** d'éducation, mais parce qu'ils seraient bien **en peine de** se définir.

Ils ont, naturellement, des détracteurs. Lui, surtout, parmi les Russes blancs de la capitale, princes pauvres et patriotes qui dénigrent le succès du parvenu, ses équivoques, et la présence à son bras d'une beauté de leur clan. Mais leur couple a pour lui les **mondains** qui sont si préoccupés d'eux-mêmes qu'ils ne sont pas curieux des autres, **pourvu qu**'ils décorent leurs dîners. Zinovi, qui les juge, accepte en bon vivant leur entourage.

Par contre, le cercle austère des grands **corps de l'État** l'intimide : gens importants faisant des choses importantes. Il **craint** l'indiscrétion des politiques, et des journalistes, bien qu'il compte parmi eux des **appuis**. La France rurale, celle de la province, c'est-à-dire la généralité du pays, il ne la connaît pas. Français, il aurait pu le devenir depuis longtemps. Il y a songé. Mais en Italie, en Angleterre, en Amérique, il se sent également à l'aise.

Vers quel bord penche-t-il, lorsqu'il examine les régimes que se sont donnés les nations après la Grande Guerre ? Il les a vus **de près**. Il a beaucoup, beaucoup **roulé sa bosse**. Depuis qu'il a quitté la

flétrir brand

puante stinking

ivre drunk

éprouve feels

le déçoivent disappoint him

idées plates *here:* bland ideas

leur en veut holds it against them

J'ai toujours cru apercevoir I always thought I perceived

indicible unspeakable

n'avoue jamais never admits

fourvoyé dans la faute led astray into error

parviendrait...à would end up

se corriger correcting itself

vénéneuse poisonous

floué cheated

sang versé blood spilled

ldevant Arras (fighting) outside of the city of Arras, in the Artois

les faits ont tué la foi the events have killed faith

manqué failed

Camus Albert Camus (1913–1960), French writer and philosopher who was awarded the Nobel Prize for literature in 1957. The quote is from his speech at the Nobel banquet at the City Hall in Stockholm, December 10, 1957.

se croit vouée à refaire believes it is called upon to reform

La mienne Mine

qu'elle ne le refera pas that it will not reform it

tâche task

empêcher que le monde se défasse preventing the world from destroying itself

tourbillon quotidien daily whirlwind

s'en étonne is surprised by it

qu'ai-je bâti what have I built

qu'ai-je su what have I learned

Il flaire la faillite He comes close to bankruptcy

maléfice evil spell

aubaine piece of good fortune

galons amovibles removable military stripes

qu'on lui a cousus that someone sewed on for him

Sans état Without status

emprunté borrowed

Russie, il a entendu Gorki **flétrir** la clique des Soviets, « **puante**, sale, **ivre** et cruelle ». Il est d'accord et, ni de près, ni de loin, ne s'approche des communistes français. Les démocraties de l'Occident, bien qu'il **éprouve** une faiblesse pour celle des États-Unis, **le déçoivent**, avec leur sérénité aux **idées plates**. Parfois même, on croirait qu'il **leur en veut.**

J'ai toujours cru apercevoir, au fond de lui-même, malgré la bonne humeur, une tristesse pénétrante, **indicible** pour celui qui **n'avoue jamais** le découragement. Il s'imaginait que le monde, **fourvoyé dans la faute**, **parviendrait**, à force de réflexion et de repentir, **à se corriger**. Fleur parfumée et **vénéneuse** de l'utopie. Sa déception est le rêve **floué** de son adolescence, et, après coup, éclaire sa conversion chrétienne. La rédemption par le **sang versé**, la rétribution du sacrifice… Vraiment, il y croyait, à la Légion, **devant Arras**, et plus tard, quand il parlait à ses auditeurs – j'allais dire à ses frères – de l'autre côté de la guerre.

L'holocauste de tant de morts était offert pour rien, **les faits ont tué la foi**. Le paradis perdu est un paradis **manqué**. Vingt-cinq ans plus tard, je lui citais les mots de **Camus** : « Chaque génération **se croit vouée à refaire** le monde. **La mienne** sait pourtant **qu'elle ne le refera pas**. Mais sa **tâche** est peut-être plus grande. Elle consiste à **empêcher que le monde se défasse**. »

*
* *

Dans le **tourbillon quotidien**, il s'interroge. Il ne le faisait pas autrefois et **s'en étonne**. Je l'entends se dire : « Après tant d'efforts accomplis, **qu'ai-je bâti** ? Après tant de leçons reçues, **qu'ai-je su** ? Après tant de rôles joués, quel est le vrai ? » **Il flaire la faillite.**

Voici l'autre bilan, l'addition négative, le **maléfice** d'une liberté dont, il y a peu, il faisait son **aubaine**. Il sourit en apercevant sur la manche de l'uniforme qu'il ne porte plus les **galons amovibles qu'on lui a cousus**. Le milieu qu'il fréquente est celui des fortunes acquises. Ce n'est pas le sien. Il est arrivé aux limites du précaire. **Sans état**, sans ressources, même son nom est **emprunté**. Pour

il s'en inquiète he worries about it

Le temps n'est plus The time is past

ses suites its aftermath

chômeurs atypiques atypical unemployed

quémandeurs scroungers

s'étaye is propped up

en peine above

trouver place find a position

ressent l'appel feels the call

l'appât d'un gain the lure of profit

l'on n'ose qualifier one dares not describe

de peur de tomber for fear of falling

péché d'emphase sin of pomposity

qui font carrière et non fortune who pursue a career and not riches

méprisent have contempt for

cadres d'un État leaders of a nation

qui n'appartient à rien belongs to nothing

ne vient de rien comes from nothing

partage shares

farandoles chain dancing

feux follets will-o'-the-wisps

pénible difficult

il l'affrontera seul he will face it alone

elle n'a pas à le lui annoncer she doesn't have to tell him

aboutir to end up

cadre setting

sonnent ring

engagement commitment

affranchissement liberation

Rabat (pop. 1.7 million) capital of the Kingdom of Morocco

état des services et campagnes register of services and campaigns

Mis à la disposition Assigned (to)

Maroc Morocco

la première fois **il s'en inquiète**. Salomé aussi. **Le temps n'est plus** où la guerre et **ses suites** offraient aux gens de sa sorte un emploi qui ressemblait à une aventure. L'époque nouvelle en fait des **chômeurs atypiques**, **quémandeurs** inclassables, rebelles aux nomenclatures sur lesquelles **s'étaye** la société.

Il ne serait pas **en peine** d'utiliser ses relations américaines, par exemple pour **trouver place** dans l'une des sociétés commerciales dont la prospérité lui assurerait un revenu généreux. Elles sont, comme lui, polyglottes et internationales. Mais Zinovi **ressent l'appel** d'un service, non **l'appât d'un gain**. Quel service ? Celui de la cause que **l'on n'ose qualifier**, **de peur de tomber** dans le **péché d'emphase** : la cause de l'homme. Il souhaite s'y ennoblir, et pas s'y enrichir. Le mot « profit » est étranger à son vocabulaire.

Il n'est pas seul dans ce cas, Dieu merci. D'autres que lui, **qui font carrière et non fortune**, **méprisent** au fond d'eux-mêmes l'argent et ceux qui l'aiment ; souvent, leur dynastie familiale a fourni avant eux les **cadres d'un État** dont ils s'estiment les Maîtres et les Serviteurs. Oh, paradoxe ! Zinovi, **qui n'appartient à rien**, **ne vient de rien**, **partage** leur vocation et leurs préjugés.

Dans ce Paris de **farandoles** et de **feux follets**, il va connaître la phase la plus **pénible** de son existence. Il sait qu'**il l'affrontera seul**, Salomé va le quitter, **elle n'a pas à le lui annoncer**. Ces choses-là sont écrites. Où va-t-il, dès lors, **aboutir** ? Se situer ? Dans quel **cadre** ? Les mots **sonnent** bizarrement à son oreille. Où trouvera-t-il ce qui lui est nécessaire, et dont il ne connaît que trop bien la contradiction : l'**engagement** et l'**affranchissement** ?

Sur la terrasse de la Balima, l'hôtel de **Rabat** où se presse le petit monde de la Résidence, mon camarade, l'officier du personnel, me lit la réponse. Elle est extraite de l'**état des services et campagnes**, à la page qui le concerne.

« **Mis à la disposition** du maréchal de France, commandant supérieur des troupes d'occupation au **Maroc**, en vue de son affectation au quatrième régiment de la Légion étrangère, décision du premier mai 1922. »

À cette heure, Zinovi Pechkoff n'est pas encore citoyen français. Il

réformé   soldier discharged from active duty
a-t-il pu être nommé   did he manage to be named
Essayez d'en faire autant   Try and do the same

ne le sera que l'année suivante. Il a d'abord choisi d'être légionnaire. Mais comment lui, le **réformé**, sans réelle instruction militaire, sans expérience de commandement, **a-t-il pu être nommé** officier supérieur dans une troupe prestigieuse et combattante ? **Essayez d'en faire autant** !

Le Maroc du Maréchal Lyautey   This phrase summarizes a long chapter in French colonial history, for it associates military hero Hubert Lyautey (1854–1934) with Indochina, Madagascar, World War I, and Morocco in significant ways, all important stops on Pechkoff's own itinerary. The Rif War (northern mountainous region of Morocco) was the military operation assigned to Lyautey that saw Pechkoff recalled to active duty.

requête   request

éloignement   being far away

dépourvu de référence   devoid of reference

pourtour   perimeter

reculer   to go back (in time)

patriarcat bicéphale   double-headed regime (monarch and marshal)

Maghreb   Arabic for "western or setting sun," *i.e.* the westernmost part of the Muslim world, namely the three North African states of Morocco, Algeria, and Tunisia.   In common parlance, *un Maghrebin* refers to a resident of France of North African origin, with all the political and socioeconomic connotations that carries.

se cache   is hidden

croyants   believers

droit divin   divine right

pouvoir temporel   temporal power

au sommet   at the top

colline   hill

cerclée de verdure   circled with greenery

guerre du Rif   the Rif War of 1920, also called the Second Moroccan War, fought between the Spanish and the Rif and Jibala tribes of Morocco. The French came to the aid of Spain in 1925, and a year later the Moroccans surrendered.

guerre de guerriers   war of warriors

se tutoient   use the familiar *tu* form with each other

se ferraillent   cross swords

est atteint en pleine attaque d'une balle   is hit by a bullet in the middle of an attack

plaisante-t-il   he jokes

qui lui manque   that he's missing

Mieux soigné   Better cared for

en est quitte pour boiter   got away with limping

souliers sur mesure   custom-made shoes

X

Le Maroc du maréchal Lyautey, que l'on appelle « le Protectorat », accomplit le miracle de satisfaire son impossible **requête**. D'abord par son **éloignement**, terme qui, **dépourvu de référence** (loin de quoi ?), répond à ce qu'il aime. Plus encore que le sentiment de rejoindre un **pourtour** préservé des vanités d'ailleurs, il ressent celui de **reculer** dans un temps où survit un passé légendaire. Un **patriarcat bicéphale** règne sur le **Maghreb** ancestral. D'un côté, dans l'ombre de son Palais, avec ses femmes, ses courtisans, ses chevaux, **se cache** un sultan commandeur des **croyants**, monarque de **droit divin** sans **pouvoir temporel**. Plus loin, **au sommet** d'une **colline cerclée de verdure**, gouverne un seigneur, Louis Hubert Lyautey, maréchal de France, inspirateur d'une modernité prudente.

Après huit ans d'absence, Zinovi a repris place dans la Légion, corps d'élite que mobilise la **guerre du Rif**. Une **guerre de guerriers**. Un face à face d'adversaires qui **se tutoient**, se respectent et **se ferraillent**. Le 27 juin 1925, Pechkoff **est atteint en pleine attaque d'une balle** au pied gauche. « Par symétrie », **plaisante-t-il** en montrant le bras droit **qui lui manque**. « Symétrie » dans sa bouche prend un accent russe, comme Zinovi, son prénom. **Mieux soigné**, plus vite opéré, le blessé **en est quitte pour boiter** un peu et s'acheter dorénavant des **souliers sur mesure**. Le Résident général est venu le visiter à l'hôpital. Quelle différence avec l'autre blessure !

*
* *

changeant fickle one

galons stripes

sort fate

a cessé de ceased

lui faire des cadeaux to give him gifts

il bourlinguait he bummed around

bousculé knocked about

flot flood

l'aborde en russe comes up and speaks to him in Russian

Ne vous fatiguez pas Don't tire yourself

Pour qui me prend-il For whom does he take me

qu'il pleure à chaudes larmes for whom he sheds bitter tears

Ce qui lui reste de What does he have left of

atavisme heritage

il le cache he hides it

se le cache hides from it

à proprement parler strictly speaking

tenue regulation uniform

de pied en cap from head to toe

vadrouilleur gallivanter

casanier homebody

permissions leaves of absence

avant de s'éteindre before dying

il se fait donner he manages to get/obtain

il arpente he strides

sentencieusement pompously

allées mitoyennes *here:* twin corridors

Paul Claudel (1868–1955) famed diplomat, poet, playwright, and essayist. While posted to Washington and Japan, he befriended Pechkoff.

détaché *diplomatic jargon:* officer assigned outside of his normal duties

ronflants grandiose (*literally:* snoring)

assortis de matched with

qui roule an accent with rolling r's, *i.e.*, not standard French

Ainsi, pendant plus de quinze ans, le commandant Pechkoff, le **changeant**, le nomade, va se fixer à la Légion. Quatre **galons**, pas un de plus. Le **sort a cessé de lui faire des cadeaux**. Il interroge ses amis de Paris. On lui conseille de rester tranquille.

Il ne reverra jamais la Russie, ce pays qui fut le sien, et où hier encore **il bourlinguait**, **bousculé** par le **flot** d'événements puissants et dramatiques. Il était l'envoyé secret, l'expert. Qu'on ne lui en parle plus. Lui-même se tait. À un Polonais qui **l'aborde en russe** je l'entends répondre en anglais : « **Ne vous fatiguez pas.** » Puis il se tourne vers moi : « **Pour qui me prend-il** ? » Lorsqu'il découvre l'agonie et la mort de Gorki en 1936, il ne fera pas le voyage de Moscou pour les funérailles de celui **qu'il pleure à chaudes larmes**. **Ce qui lui reste de** son **atavisme** russe ? Beaucoup. Mais **il le cache**, et sans doute **se le cache**. La Légion lui a donné, **à proprement parler**, « sa **tenue** » : elle l'habille **de pied en cap**.

Ne forçons pas la dose. Le **vadrouilleur** devenu **casanier** prend des **permissions**. D'abord jusqu'en 1927, à Sorrente, dernier refuge où Gorki, **avant de s'éteindre**, soigne sous le soleil et dans l'exil ses douleurs et ses déceptions. De temps à autre, **il se fait donner** une mission aux États-Unis dont il aime l'accueil intime et les horizons vastes. Il y retrouve « des amis de toujours » avec qui **il arpente**, **sentencieusement**, les **allées mitoyennes** du pouvoir et de la fortune. **Paul Claudel**, l'ambassadeur, confiné dans un Washington qu'écarte de l'Europe son splendide isolement, apprécie le bon air de ses visites. En France, il est invité dans les châteaux du bord de Loire, ou les hôtels du faubourg Saint-Germain. En bref, il s'échappe.

Il est **détaché** au Levant où, pendant quelques années, il occupe divers postes du Haut-commissariat français. On lui accorde des titres **ronflants assortis de** fonctions somnolentes : gouverneur de ceci, administrateur de cela. En vérité, on ne sait pas très bien où le mettre. Il apprécie ce milieu différent de celui du Maroc, cette société moderne et archaïque, dont les membres cultivés et riches parlent le même français que lui, celui des étrangers, avec un accent **qui roule**. Dans les couloirs de nos résidences, il rencontre Jean Chauvel, à qui il voue tout de suite une amitié profonde, et dont il

Delaunay-Belleville automobile industry barons who first built the coveted model of the same name in 1904. It long remained the standard of luxury automobiles.

jeune veuve young widow

battra la breloque will be unstable

sera dissous will be dissolved

veille eve

liens conjugaux conjugal ties

Je m'y sens libre I feel free there

Il se met à rire He starts to laugh

comme s'il s'empressait de démentir as if he were hastening to deny it

garnison bavarde gossipy garrison

se prête lends itself

Chacun a la sienne Each one has his own

ne sachant rien de précis not knowing anything specific

on jase à plaisir one chatters for the fun of it

qu'il venait de soumettre that he had just subjugated

festins feasts

qui duraient that went on

trônant having pride of place

Louis Massignon (1883–1962) a respected islamologue who organized the school system in Morocco

Jef Kessel Joseph Kessel (1898–1979), French journalist and novelist who wrote *Belle de jour* (= Morning Glory; 1928), which Luis Buñuel made into a celebrated film starring Catherine Deneuve. Kessel became a member of the Académie française in 1962.

à la lueur by the light of

il réglait sur sa solde he purchased on his soldier's pay

rutilants tambours brand-new drums

des plus sonores clairons the most resounding bugles

doter to equip

clique pipe band

lever des couleurs raising of the colors/flag

ordonnance aide

moustiquaire mosquito net

le jour se lève it is daybreak, the sun is rising

le traduire en conseil de guerre bring him before a war court or council

coupables d'avoir abattu guilty of having shot

pour le voler to rob him

120

épouse la cousine, Jacqueline **Delaunay-Belleville**, **jeune veuve** d'un diplomate, Henri de Caumon, et mère d'un petit Xavier. Le ménage, bientôt, **battra la breloque** et **sera dissous** la **veille** de la guerre. Décidément, Zinovi au grand cœur n'est pas fait pour les **liens conjugaux**.

*
* *

C'est à la Légion qu'il est fidèle. « **Je m'y sens libre**. » Aussitôt **il se met à rire**, **comme s'il s'empressait de démentir**. En l'occurrence, il dit vrai.

Le Maroc est une **garnison bavarde**. La Légion est une cohorte qui **se prête** aux légendes. **Chacun a la sienne**. Que ne dit-on pas du commandant Pechkoff, figure incomparable et familière dont, **ne sachant rien de précis**, **on jase à plaisir**. On raconte, par exemple, qu'au cours des combats du Rif, il offrait aux tribus **qu'il venait de soumettre** des « **festins** d'honneur » **qui duraient** toute la nuit, le chef vaincu **trônant**, à côté de son vainqueur, sur la banquette. Qu'au Liban-Sud, il se comportait en vieux sage, réconciliant les chefs rivaux de la montagne, et gagnant leur amitié. Que, pendant de longues soirées, en compagnie de gens aussi divers que **Louis Massignon** ou **Jef Kessel**, il débattait de l'aventure de l'homme **à la lueur** des étoiles. Que, retrouvant la Légion au Maroc, **il réglait sur sa solde** l'achat des plus **rutilants tambours**, **des plus sonores clairons** pour **doter** la **clique** de son bataillon, afin qu'elle puisse chaque matin, en fanfare, célébrer le **lever des couleurs** et celui du soleil. Que son **ordonnance**, un cosaque, soulevait sa **moustiquaire** en lui présentant un bouquet de fleurs fraîches : « J'ai l'honneur d'informer Votre Seigneurie que **le jour se lève** et qu'il est très beau. » Que ce même ordonnance, ou peut-être un autre, avait voulu l'assassiner et que, non seulement Pechkoff avait refusé de **le traduire en conseil de guerre**, mais l'avait pris à son service. « Comme punition, je lui ai lavé la tête. » Par contre, lors de l'exécution des deux légionnaires allemands dont le nom me revient en mémoire, Schmidt et Benkhart, **coupables d'avoir abattu** leur capitaine **pour le voler**, mon unité

avait défilé had marched

brouillard de l'aube dawn fog

effondré crushed

apprenant learning

renégat renegade

psaume 138 (Psalm 137 in the Vulgate) "If I forget you, O Jerusalem, let my right hand wither..."

Je me borne à constater I content myself with noting

faute mistake

expiation atonement

était soigneusement tracé was carefully laid out

carré square

en fleurir les bordures plant flowers on the edges

fanion pennant

gravir climb

mise en selle climb into the saddle

incommode uncomfortable

Il mordait les rênes he bit the reins

saisissait grabbed

pommeau pommel (of the saddle)

soulevait lifted

son genou plié his bent knee

Il pestait He cursed

action de grâce thanksgiving

Remercions Let us thank

sonnailles bells (attached to herd animals)

troupeau herd

faire ma ronde make my rounds

sol ground

rapproche draws together

avait défilé devant les cadavres. Pechkoff était présent dans le **brouillard de l'aube**. J'étais **effondré**, il était impassible. « Ils ont payé, c'est bien. »

Est-elle vraie, l'histoire de son père Mihail Israelovitch Sverdlov, **apprenant** que son fils, **renégat** d'Israël, avait perdu son bras sur le front français et qui s'écrie, selon le **psaume 138** : « Si je t'oublie, Jérusalem, que ma droite t'oublie » ? Je ne fais pas de confusion. **Je me borne à constater** que Zinovi, élevé lui aussi dans les préceptes du Livre, a le sens de la **faute** et de l'**expiation**.

* *

Le hasard voulut qu'au début de 1939, sous-lieutenant accomplissant mon service militaire, je passe deux nuits dans son bataillon. Le camp **était soigneusement tracé**, en **carré** impeccable. Il avait trouvé le moyen d'**en fleurir les bordures**. Au centre étaient plantés sa tente et son **fanion**. Je visitais un centurion de la Légion romaine. Il m'invita à choisir un cheval et à **gravir** avec lui la montagne. Il n'était pas fin cavalier mais stable et endurant. N'ayant qu'un seul bras, la **mise en selle** était **incommode**. **Il mordait les rênes** entre ses dents et **saisissait** le **pommeau** de sa seule main gauche, cependant que l'ordonnance **soulevait**, du même côté, **son genou plié**. **Il pestait** contre cet exercice qui lui rappelait son handicap. Une fois partis au petit trot, il m'invitait à une **action de grâce** : « **Remercions** le ciel d'être si bleu. » Il s'arrêtait pour entendre les **sonnailles** d'un **troupeau**.

* *

J'ai relu les pages[1] qu'il a écrites sur ces moments qu'il a aimés. Les nuits surtout. « À trois heures, je sortais pour **faire ma ronde**. Il faisait noir, noir, et je ne distinguais même pas le **sol**. Nuits mystérieuses, pleines d'inconnu. La nuit, comme la mort, **rapproche**

---

1. *La Légion étrangère au Maroc,* livre publié en 1929, préfacé par André Maurois, et dédié à la princess Jacques de Broglie.

qui vive   who goes there
frisson   shiver
en dépit du froid   in spite of the cold
endormis   asleep
sabot   hooves
grattant   scraping
cime   top
sourd   deaf
abrite   *here:* harbors
avoir sacré   hell of an asset
ne se partage pas   is not shared
rien d'autre à signaler   nothing else to report
ne regarde personne   doesn't concern anyone
muet   mute
moins que quiconque   less than anyone
on n'aborde jamais   one never approaches
Chevauchant   Sitting astride
jument alezane   chestnut mare
il devance   he is ahead of
file   line
serpente   winds
sentier de montagne   mountain path
il a prévu   he has planned
saisis   gripped
attendu   expected
Être et bien-être   Being and well-being
s'affirment   are established

à part entière   as a whole
clochers   steeples; *here:* villages
sous-préfectures   small towns
garnisons   garrisons
à l'étroit   cramped
drapeau   flag
vaillance   courage
en faisait des preux   made them valiant
carrure   stature

les hommes. Quand j'arrivais près de la sentinelle, elle criait : "Halte
là, **qui vive** ! ", je m'arrêtais et un **frisson** passait par tout mon corps.
Je m'approchais de l'homme qui, **en dépit du froid**, était debout à
son poste. Je disais : "Il fait froid mon ami ", il répondait : "Ça ne
fait rien." J'entendais la respiration des légionnaires **endormis** sous
leur tente, le **sabot** des bêtes **grattant** le sol. La forêt sur la **cime** des
montagnes commençait à murmurer. Oui, j'aime ces nuits de garde,
même si le temps est terrible. Mon cœur n'est plus **sourd** et j'entends
des appels. Je sais d'où ils viennent. »

À la Légion, chacun **abrite** un secret, un **avoir sacré** qui **ne se
partage pas**, mais constitue le lot commun de l'engagement. Nom,
prénom, date et lieu de naissance, **rien d'autre à signaler**, le reste **ne
regarde personne**. On n'interroge pas, on ne justifie pas. Pechkoff,
le **muet**, **moins que quiconque**. D'ailleurs, il est le chef, celui qu'**on
n'aborde jamais** sans raison de service, celui qui sait dire « je » et
hésite à dire « moi ». **Chevauchant** sa **jument alezane**, **il devance** la
file de ses hommes qui **serpente** sur le **sentier de montagne**. Il est à
leur tête, il les conduit par les chemins qu'il sait, il fera halte là où **il
a prévu**. Bientôt nous arriverons, **saisis** par la fatigue, la soif, la faim,
le soir, la paix, tout ce qui est **attendu** et qui vient. Une sorte de
bonheur. **Être et bien-être s'affirment** ensemble.

*
* *

Je crois que c'est à la Légion, ce corps d'élite, apatride et aberrant,
que Pechkoff découvrit qu'il était français. Et aussi qu'il l'était à sa
manière, bien qu'**à part entière**. Non pas citoyen de la République,
mais officier de son armée au service de son Empire. Il ne regardait
pas nos **clochers** ni nos **sous-préfectures**, il ne connaissait pas nos
garnisons, il contemplait nos horizons. Il avait l'impression de
respirer mal quand il se sentait **à l'étroit**. La Légion lui offrait
l'espace, la grandeur, le **drapeau** qui promenait ses couleurs dans
tous les continents, la discipline et la **vaillance** qui exaltait les plus
humbles et **en faisait des preux**, une sorte de lyrisme dans le culte
du service qui donnait au geste noblesse et **carrure**. C'est par la

foi faith

leurres illusions

Quoi qu'il fasse par la suite Whatever he does afterwards

il gardera he will keep

genèse genesis

apport contribution

Kasbah-Tadla town in Morocco where the two were stationed

détenir to possess

petitesses pettiness

maîtrise mastery

se doit de placer à leur rang has a duty to put in their place

pesanteur heaviness

Après l'extinction des feux After the fires are put out

signe de croix à la russe sign of the cross Russian-style. When crossing themselves, Orthodox Christians use their right hand to touch first the forehead, then navel, then right shoulder, and finally left shoulder. Roman Catholics and Anglicans touch the left shoulder before the right.

m'abritait sheltered me

Il ne figurait plus He no longer was

se déroulent unfold

alternance des saisons change in seasons

fastes ou funestes prosperous or dire

viager annuity

Le tour était venu des bienfaits The turn had come for the godsends

dont il ne doutait pas of which he had no doubts

le lys dans la vallée In this enumeration of Pechkoff's pleasures and delights as a legionnaire in Morocco, Huré, prone to literary imagery, evokes Honoré de Balzac's novel, *Le Lys dans la Vallée*, most likely the much-anthologized passage where Balzac describes his heroine as follows: "Elle était, comme vous le savez déjà, sans rien savoir encore, le lys de cette vallée, où elle croissait pour le ciel en la remplissant du parfum de ses vertus."

ne déchantent pas do not become disenchanted

menait steered

à main sûre with a steady hand

Légion qu'il a connu la France, et comme tous les amoureux, il mettra dans sa **foi** son ardeur et ses **leurres. Quoi qu'il fasse par la suite, il gardera** la marque de cette **genèse.**

Est-ce l'**apport** supplémentaire de son engagement ? Quand je l'ai rencontré à **Kasbah-Tadla**, il me semblait **détenir** une part de ce que nous cherchons tous : l'harmonie entre les **petitesses** de l'existence et la transcendance de son mystère, entre son ordinaire et son élévation, la **maîtrise** des sentiments que notre protocole intime **se doit de placer à leur rang**, émotion et réflexion, perplexités et certitudes, **pesanteur** et grâce. **Après l'extinction des feux**, le commandant Pechkoff, officier français en service outre-mer, se couche sur son lit de campagne, fait le **signe de croix à la russe**. Le chef du bataillon de combat est en paix, parmi ses hommes et devant Dieu. Après tant de conflits intérieurs, il a trouvé son unité.

Évoquant cette période, il me dit : « J'habitais un univers qui **m'abritait** du monde. » **Il ne figurait plus** là où se jouent les drames qui toujours, quelque part, **se déroulent**. Au repos, pour le moment, il profitait de l'**alternance des saisons, fastes ou funestes**, qui fait le **viager** de la vie. **Le tour était venu des bienfaits dont il ne doutait pas**, la fraternité de la troupe, la simplicité du devoir, **le lys dans la vallée**, les oiseaux du ciel. Ensemble disparate d'enchantements qui **ne déchantent pas.**

Ainsi, la force mystérieuse dont il entendait la voix au cours de ses rondes **menait** son destin « **à main sûre** ».

Drôle de guerre Phoney War (*literally:* Strange War), the name given to the first six months of World War II, when there was little actual fighting in the European theater.

s'effondre collapses

Ce qu'il éprouve What he feels

se dire to be said

se maudire to be cursed

Voudrait-il s'exprimer qu'il ne le pourrait pas Even if he wanted to express himself, he would be unable to do so

piétine trudges along

bled Arabic word meaning "village," used today to connote a small rural town

dérisoirement patheticly

sauve safe

moralement désarmée psychologically disarmed

s'est confiée is entrusted

vieux soldat de Verdun *i.e.,* Pétain

fait don makes a gift

impuissance impotence

tergiverse dillydallies

pactise makes pacts (often derogatory, as in this case, since the USSR entered into an alliance with Nazi Germany)

digère digests

ne lutte que dans les airs only fights in the air

sol soil

se sent vaincu feels beaten

mort il y a peu dead just a little while ago

Tu n'as pas fait grand-chose You haven't done much

galons usés tattered stripes

qui te reste you've got left (his right arm)

histoire de passer le temps a way of spending time

défaite defeat

retraite retreat (though the same word also means "retirement," a symbol of sorts)

nulle part où la caser nowhere to put it

personne pour t'attendre no one to wait for you

Il la serre et la secoue He squeezes it and shakes it off

XI

Septembre 1939. Voici à nouveau la guerre. « **Drôle de guerre** » qui s'annonce, et se fait attendre. Zinovi, dans son Maroc, lui aussi, attend.

Un matin de juin 1940, tout **s'effondre** sur quoi il a bâti et rêvé sa vie. Le malheur a détruit le miracle. **Ce qu'il éprouve** n'a pas de mots pour **se dire**, de cris pour **se maudire**. **Voudrait-il s'exprimer qu'il ne le pourrait pas**. L'armée française a capitulé. Son bataillon **piétine** dans le **bled, dérisoirement** prêt au combat. Quel combat ? La Légion est **sauve** mais **moralement désarmée**, la France **s'est confiée** au **vieux soldat de Verdun** qui lui **fait don** de son **impuissance**. L'Amérique **tergiverse**, l'URSS **pactise**, l'Allemagne **digère** son triomphe, l'Angleterre **ne lutte que dans les airs** et pour son **sol**.

Pechkoff **se sent vaincu**. Inutile. Tout est fini, commandant Pechkoff, fils adoptif du géant Gorki, **mort il y a peu**, loin de toi. **Tu n'as pas fait grand-chose** de ton existence. Quatre **galons usés** sur ta manche, au service d'une armée défunte qui n'a plus besoin de ton bras. Avec celui **qui te reste**, tu ne peux même plus faire un bridge au Cercle, **histoire de passer le temps**. Pour fortune tu laisses une cantine au dépôt de ton régiment, et quelques affaires par-ci par-là, chez des amis perdus dans la débâcle. Voici ta **défaite**, ta **retraite**, **nulle part où la caser, personne pour t'attendre**. Je te le demande : à quoi bon continuer ?

« Cet hiver de l'Armistice, j'ai bien cru qu'il serait le dernier. » Jacqueline lui prend la main. **Il la serre et la secoue**. « Tu ne dois jamais abdiquer ta vie. »

129

Il se redresse He recovers

naissent parfois des sauveurs sometimes saviors are born

n'a pas vécu has not lived

vainqueurs sur nos boulevards conquerors on our boulevards, a reference to Nazi troops parading down the Champs-Élysées

parcelle plot of land

connivence tacit agreement

le porte tout d'abord takes him first

Weygand Maxime Weygand (1867–1965), French army general. He initially fought the German invasion in 1940, but ultimately collaborated with the Nazis. He was elected to the Académie française in 1931.

l'homme sans paternité Born in Brussels, Weygand was rumored to have been the illegitimate son of Empress Carlota of Mexico or of her brother, Leopold II, king of the Belgians. He was raised by a Jewish family in Marseille and eventually recognized by an accountant, François-Joseph Weygand, as his illegitimate son. He received French citizenship from his purported father.

ne se sent pas en droit de braver didn't feel entitled to defy

Maréchal *here:* Philippe Pétain

On ne peut suivre One cannot follow

mais sait ce dont il parle but knows of what he speaks

pari wager

sonne le réveil sounds the wake-up call

embauche appointment

bouter to drive

vont de pair go hand in hand

comme il le fit jadis as he did in former times

porter sur les lointains un regard intime cast upon the distance an intimate glance

France libre name given to the Resistance movement founded by de Gaulle in London, after his radio address on June 18, 1940

capota à l'atterrissage overturned on landing

ne tarde pas à changer d'avis didn't take long to change his mind

*
* *

Il se redresse, en effet. Dans la nuit des calamités **naissent parfois des sauveurs**. Pechkoff **n'a pas vécu** la débâcle nationale, il n'a pas vu les réfugiés sur nos chemins et les **vainqueurs sur nos boulevards**. Ce n'est pas de la terre française qu'il aperçoit nos malheurs. C'est de là où il est, sur cette **parcelle** d'Empire. Une sorte de **connivence** pour ne pas dire de sympathie **le porte tout d'abord** vers **Weygand**, le chef glorieux en France et en Pologne, **l'homme sans paternité** qui, par chance, se trouve au Maroc. Mais on rapporte que le vieux soldat **ne se sent pas en droit de braver** le **Maréchal** et son armistice. **On ne peut suivre** celui qui ne marche pas…

Alors, de plus loin, de Londres, il entend la voix du général de Gaulle. Il ne connaît pas l'homme **mais sait ce dont il parle** : l'honneur, le **pari**, la confiance, la rupture aussi, celle qui annule et annonce, celle qui, dans les ruines, **sonne le réveil**. Son engagement dans la France libre n'est pas une **embauche** politique, un recrutement militaire pour **bouter** l'ennemi hors de France. C'est le parti pris d'un instinct qui, à nouveau, lui ouvre le champ des grandes causes. Espoir et espace **vont de pair** : le même vent.

Il va pouvoir, **comme il le fit jadis**, « **porter sur les lointains un regard intime** ».

*
* *

Il ne m'a jamais dit comment il avait rejoint la **France libre**. Il m'a avoué que ce fut difficile et que l'avion qui le transportait **capota à l'atterrissage**. Quoi qu'il en soit, le premier contact avec le général de Gaulle n'a pas été fameux puisque celui-ci, dans un télégramme d'août 1941, juge Pechkoff « intransigeant et tyrannique », ce qui est pour le moins surprenant. Le Général **ne tarde pas à changer d'avis**. Quatre mois après, il le délègue en Afrique du Sud. Le colonel Pechkoff (enfin un galon de plus) sera son représentant auprès du

Smuts Jan Christian Smuts (1870–1950), general in charge of East African operations. A soldier, statesman, and philosopher, he was an early opponent of apartheid and an ardent supporter of the founding of the State of Israel.

Rhodésie Rhodesia, the former British colony that became Zambia and Zimbabwe. It was named for mining magnate Cecil Rhodes.

Betchouanaland Bechuanaland, a British protectorate in southern Africa. In 1966, it became the Republic of Botswana.

Nyassaland Nyasaland, the British protectorate that became Malawi

l'Île Maurice Mauritius, an island nation off the coast of Madagascar

relevant du coming under

écouté de Churchill *in effect:* with Churchill's ear

s'étende extend

valent are worth

bienveillance kindness

interlocuteur negotiator

sans peine et sans retard without difficulty and without delay

en file indienne in single file

s'efforce de rallier tried hard to rally

croix de Lorraine *in effect*: de Gaulle's authority. Churchill once said that the heaviest cross he had to bear was the cross of Lorraine.

bâtiments en escale ships at port of call

coupée d'un navire de Vichy gangway of a Vichy naval ship

traitait de métèque called me names (*métèque* refers to any native of the Mediterranean basin)

manchot one-armed man

boiteux lame man

Ils crachaient sur le sol They spat on the ground

montrant leur poing making a fist

fait *here:* fact

j'ai longtemps tu for a long time I repressed

escadre squadron

Diégo-Suarez port town on Madagascar, today called Antisranana

débarquement landing

aval support

l'a appris par la presse learned about it through the press

mise en cause questioned

bafouée ridiculed

général **Smuts** et des autorités britanniques de la **Rhodésie**, du **Betchouanaland**, du **Nyassaland** et de **l'Île Maurice**. Il réorganisera l'ensemble des personnels civils ou militaires **relevant du** Comité national.

L'importance de ce poste n'est pas théorique. Il s'agit de surveiller de près la grande île, Madagascar, demeurée obédiante à Vichy. Or le général Smuts, dans la zone, est un acteur dominant. De Gaulle lui porte une grande estime. C'est aussi un ami **écouté de Churchill**. Pour sa part, Smuts a écrit à de Gaulle : « Il est essentiel que votre autorité **s'étende** dans tout l'Empire français et bientôt en France. » Ces paroles **valent** encouragement et aussi engagement. La première tâche de Pechkoff sera de gagner la **bienveillance** de son **interlocuteur**. Il l'obtient **sans peine et sans retard**.

Par la route du Cap, passent **en file indienne** les convois maritimes qui veulent éviter Suez. Bien entendu, mission annexe, Pechkoff **s'efforce de rallier** à la **croix de Lorraine** nos **bâtiments en escale**. « Un jour, me dit-il, je me suis présenté à la **coupée d'un navire de Vichy**. J'ai salué le drapeau. Les officiers du bord, commandant en tête, m'ont refusé l'accès en me **traitant de métèque** et de déserteur. "Hou le **manchot**, le **boiteux !**" **Ils crachaient sur le sol** en me **montrant leur poing**. »

Tout me bouleversait et me bouleverse encore dans cette scène abominable ; et d'abord le **fait** qu'il me la raconte. Jamais je ne l'ai senti plus simple et plus superbe que ce jour-là, en l'écoutant. Après quoi, **j'ai longtemps tu** cette histoire, parce que je n'osais pas me la répéter.

*
* *

Le 5 mai 1942, une **escadre** britannique arrive à Madagascar pour occuper la base navale de **Diégo-Suarez**. Londres y craint un **débarquement** japonais. L'amiral anglais négocie avec le Gouverneur français nommé par Vichy. L'opération s'est faite sans notre **aval**, le général de Gaulle **l'a appris par la presse**. La légitimité nationale est **mise en cause**, tandis que la France libre est **bafouée**. La crise est

gravissime very serious
l'envenime aggravated it
issue outcome
traîne des pieds drags his feet
de surcroît what's more
disputer *more correctly:* me disputer = argue
A fortiori All the more so
affectionne is fond of
le délivre *in effect:* let him off the hook

aboutir end up
actuelle current
dans un avenir peut-être très prochain in perhaps the very near future
pourrait être déclenchée could be launched
A.-O.F. Afrique-occidentale française = French West Africa
éventualité possibility
renseignement militaire et politique military and political intelligence
d'y passer en n'importe quel point où initiate it whenever
afin de in order to
de gré ou de force one way or another
tel ou tel this or that
à leur égard concerning them
au besoin when needed
passer outre leurs tergiversations move beyond their hesitations

débarquement allié Allied landing
Accra capital of Ghana

gravissime. Le Général **l'envenime** pour obtenir une meilleure **issue**. Pendant quelque temps, il pense à Pechkoff pour régler, aux côtés du général Legentilhomme, les aspects locaux de l'affaire.

Pechkoff **traîne des pieds**. Il n'a nulle envie de se mêler d'une crise franco-anglaise, et **de surcroît** franco-américaine. Il joue la modestie, comme s'il n'était pas capable : « Je ne sais pas **disputer** », m'a expliqué un jour ce combattant. **A fortiori** avec ceux qu'il **affectionne**. Le 29 octobre il reçoit un télégramme qui **le délivre**.

« *Très secret.*

« J'ai des raisons de penser que l'affaire de Madagascar peut **aboutir** à un règlement assez satisfaisant. S'il en est ainsi, l'importance de votre mission **actuelle** en Afrique du Sud en sera sensiblement réduite. D'autre part, il est à supposer que, **dans un avenir peut-être très prochain**, une action alliée **pourrait être déclenchée** sur l'**A.-O.F.** ou l'Afrique du Nord française, ou sur les deux simultanément.

« Mon intention est d'utiliser au maximum vos aptitudes en vue de cette **éventualité**. Vous savez que nous avons au Nigeria, Gold Coast, Sierra Leone, et Gambie, des missions qui font à la fois du **renseignement militaire et politique**, de la propagande et du recrutement sur l'A.-O.F.

« Il s'agit en somme de préparer partout l'action directe et **d'y passer en n'importe quel point où** l'occasion vous paraîtra favorable **afin de** prendre **de gré ou de force** l'autorité dans **tel ou tel** territoire de l'A.-O.F.

« Bien que l'on puisse espérer que les autorités britanniques ne s'opposeront pas à votre action, vous devez agir toutefois dans le plus grand secret possible **à leur égard** et **au besoin passer outre leurs tergiversations**.

« Amitiés. De Gaulle. »

Nous sommes, en effet, à la veille du **débarquement allié** en Afrique du Nord. Trois semaines après, Pechkoff, qui se trouve à **Accra**, reçoit ce télégramme précisant sa mission :

Réunion island in the Indian Ocean, near Madagascar
vient de le prouver just proved
pour y prendre le contact to make contact there
ralliement rallying
devront rechercher will need to search out
acquises à notre cause won over to our cause
susceptibles likely
vous désigner to designate you
suites consequences
comporter éventuellement possibly entail
Vous dépendrez directement de moi You will report directly to me
chiffre spécial code number
Veuillez me faire connaître Please let me know
avis à ce sujet opinion on that subject
ma décision vous sera notifiée you'll be notified of my decision

retrouve regains
étendue expanse
encadré supervised
mandaté assigned
disposant des moyens qu'il demande with means that he requests at
    his disposal
désolation grisante de l'abandon that sinking feeling of abandonment
imprévus unforeseen
enjeux stakes
se chevauchent overlap
distribution cast
pleutre coward
fourbe rogue

« *Très secret.*

« Ainsi que l'exemple de la **Réunion vient de le prouver**, la situation générale est favorable à une action audacieuse et décisive de notre part.

« Je vous prie d'envoyer sans délai les officiers des missions dans les principaux postes militaires de l'A.-O.F. **pour y prendre le contact** des éléments militaires et civils, y regrouper les patriotes et y faire une propagande ouverte en faveur du **ralliement** à la France combattante. En même temps, ces officiers **devront rechercher** dans l'entourage des chefs militaires et civils des personnalités **acquises à notre cause**, **susceptibles** de prendre l'autorité en mains.

« Je me propose de **vous désigner** pour le commandement de ces missions avec les **suites** que cela peut **comporter éventuellement. Vous dépendrez directement de moi** avec qui vous communiquerez par **chiffre spécial.**

« **Veuillez me faire connaître** d'extrême urgence votre **avis à ce sujet** tout en gardant le secret le plus absolu. Dès que j'aurai reçu votre avis **ma décision vous sera notifiée.**

« De Gaulle »

*
* *

C'est ainsi que le colonel Pechkoff **retrouve** l'action qu'il préfère, celle qui se prépare dans le secret et opère dans la surprise. Je dis « retrouve » en pensant à ses aventures dans l'**étendue** continentale de la vieille Russie. Sans doute, cette fois, il est **encadré**, **mandaté** pour une tâche explicite, **disposant des moyens qu'il demande.** Il est loin d'éprouver, comme alors, la **désolation grisante de l'abandon.** Mais voici à nouveau les vastes dimensions du théâtre, ses mouvements **imprévus**, ses décors changeants, ses **enjeux** majeurs. L'officiel et l'occulte se succèdent ou **se chevauchent.** La **distribution** des acteurs est classique : l'intrépide, le **pleutre**, le sincère, le **fourbe**, parfois le poète, et parmi eux les Français divisés.

indigènes natives
figurants extras (on stage)
à quelques exceptions près with rare exceptions
confonds confuse
S'il s'était aperçu If he had realized
je notais I was noting
il ne me l'aurait pas pardonné he would not have forgiven me

font la course raced ahead
ne fait plus de doute is no longer in doubt
vont devoir compter avec are going to have to reckon with
prétend claims
qui mesurait autrefois sa grandeur commensurate with her former
glory

Les « **indigènes** », comme dit Pechkoff, sont des **figurants, à quelques exceptions près**.

Lui qui a tant aimé le Maghreb et ses beaux guerriers, apprécie-t-il autant l'Afrique aux visages noirs ? Des couleurs et des goûts... Cherche-t-il à en connaître les hommes ? Il ne les reconnaît pas : « Je les **confonds** tous. » **S'il s'était aperçu** que **je notais** cette remarque, **il ne me l'aurait pas pardonné**.

*
* *

Dans le climat indolent d'Afrique, les événements **font la course**. L'autorité de Vichy qui se décompose en France se dégrade outre-mer. Les Alliés, dont le triomphe **ne fait plus de doute, vont devoir compter avec** le général de Gaulle pour établir le gouvernement d'une nation bientôt libérée, et qui, naturellement, **prétend** retrouver la place **qui mesurait autrefois sa grandeur**.

FOURTH PORTRAIT

AMBASSADOR EXTRAORDINAIRE

"Our speech reveals our foibles and faults, like all
the rest. Most occasions for the world's troubles are
grammar-related.»

MONTAIGNE, II, 12

QUATRIÈME PORTRAIT

L'AMBASSADEUR EXTRAORDINAIRE

« Notre parler a ses faiblesses et ses défauts comme tout le reste. La plupart des occasions des troubles du monde sont grammairiennes. »

MONTAIGNE, II, 12

Il n'est donc pas déçu He is therefore not disappointed

il est pressenti pour se rendre he is approached about going

Chung King Chongqing, or Chungking, a major inland port and former provisional capital of China

Tchang Kai-chek Chiang Kai-shek (1887–1975), military and political leader of China throughout the 20th century who became the leader of the Kuomintang after the death of Sun Yat-sen in 1925 and led the government of Nationalist China in Taiwan from 1928 until his death in 1975

Kuo Ming Tang nationalist Chinese government

vient de rompre has just broken off

volontiers gladly

vers ces périphéries *here:* toward those distant parts (on the periphery of the world)

qu'il a jadis pratiquées that he once knew

intempéries bad weather

pour la circonstance for the occasion

rang rank

ce qu'il advient what comes of

ashkénaze Ashkenazi, East European Jew

on ne se targuait pas one wasn't boasting

échanges exchanges

mélanges mixtures

comme à plaisir as if at will

clôtures fences

intégrisme fundamentalism

funambule tight-rope walker

passe-muraille man who walks through walls, a reference to a Marcel Aymé's short story about a man with this unusual gift, a bit like Pechkoff in diplomacy. A sculpture depicting the phenomenon can be seen in Montmartre, place Marcel Aymé, near where the author lived.

verrouillés tightly locked

Il en occupera les sommets He will get to the top of both

XII

Il n'est donc pas déçu lorsqu'en été 1943 **il est pressenti pour se rendre** à **Chung King**, siège provisoire du gouvernement chinois dont le chef, le maréchal **Tchang Kai-chek**, président du **Kuo Ming Tang**, **vient de rompre** ses relations avec Vichy : il nous faut auprès de lui un représentant. Zinovi accepte **volontiers** de partir **vers ces périphéries qu'il a jadis pratiquées** et dont il ne déteste pas les **intempéries**. Il y sera général **pour la circonstance**. Il aura **rang** d'ambassadeur.

Voici **ce qu'il advient** du jeune rebelle **ashkénaze** de Nijni-Novgorod. Saluons une fois de plus cette carrière extravagante, l'homme qui l'a méritée, l'époque qui l'a permise. En ce temps-là, on parlait moins d'Europe et d'Univers, **on ne se targuait pas** d'**échanges** et de **mélanges**, mais on ne multipliait pas **comme à plaisir** les exclusives et les exclusions, on ne fortifiait pas les clans, les camps et les **clôtures**. L'**intégrisme** n'était pas inventé. À preuve ce destin de **funambule**, de **passe-muraille**, impensable aujourd'hui, et ne datant que d'hier.

Le fils renégat, vagabond du pieux juif Mihail Israelovitch Sverdlov, adopté par l'anarchiste Gorki, va donc pénétrer les deux bastions les mieux **verrouillés** de la République française, son armée et sa diplomatie. **Il en occupera les sommets**.

*
* *

Byzance Byzantium
que vue d'avion except when viewed from an airplane
escalade climbs up to
rocheux rocky
au confluent at the confluence
Yang Tsé river running through Chongqing
douce *here:* calm
Chai Ling other river running through Chongqing
dégarnie stripped away
murailles great walls
ruelles alleyways
éventrées disembowled
jonchées strewn
à la suite following
inouïe unheard of
moite humid
assombri darkened
trempé soaked
on la rejoint we get to it (résidence)
embarcation small boat
dais canopy
à flanc de colline on the hillside
côtoient run alongside
commensal mess hall partner
On ne peut en dire autant One cannot say as much (for)

était sur place was there
parlait au nom de was speaking in the name of
mésestime low esteem
accréditait sa présomption confirmed this hypothesis
Alger Algiers, capital city of Algeria. It was there, in May 1943, that
  de Gaulle established the French Committee for National
  Liberation (FLNL) to lay the groundwork for the liberation and
  political reconstruction of France and its territories.
pour y mettre fin to put a stop to it
rétrocession ceding back
suppôt puppet
en bonne et due forme in due form
entériner to ratify

144

Chung King n'est pas **Byzance**. La ville n'est belle **que vue d'avion**. Elle **escalade** un promontoire **rocheux au confluent** du turbulent **Yang Tsé** et de la **douce Chai Ling**. La forteresse séculaire a été **dégarnie** de ses imposantes **murailles**, les **ruelles** ont été **éventrées**, les places **jonchées** de ruines **à la suite** de bombardements japonais d'une violence **inouïe** : on a compté dix mille morts en une seule nuit. Le climat est exécrable : torride et **moite** pendant l'été, glacial pendant l'hiver, et **assombri** d'un voile **trempé** d'eau. Notre représentation occupe ce que l'on nomme « la Bastille », ou la « Caserne Odent », bâtiment construit à l'époque où notre république tenait garnison, pour son prestige et son profit, dans les coins reculés de l'Empire. La résidence de l'ambassadeur est heureusement plus plaisante. Située de l'autre côté du fleuve, **on la rejoint** par une **embarcation** couverte d'un **dais** coloré. Elle est entourée de verdure **à flanc de colline**. D'autres résidences la **côtoient**, notamment celle du général Carton de Wiart, représentant personnel de Winston Churchill, qui devient très vite le **commensal**, le compagnon de promenade, et l'ami de Pechkoff. **On ne peut en dire autant** du Soviétique, Petrov, pour qui le frère de Sverdlov, le fils de Gorki, est tout simplement un traître.

*
* *

Le premier problème qu'il eut à connaître dès son arrivée fut déplaisant. Il découvrit en effet qu'une mission du général Giraud, sous protection américaine, **était sur place** et **parlait au nom de** la France. La **mésestime** du président Roosevelt pour le général de Gaulle **accréditait sa présomption**. Il ne fallut pas moins d'un voyage de Pechkoff à **Alger pour y mettre fin**.

Le problème suivant concernait la **rétrocession** des concessions françaises. L'administration de Vichy avait, en effet, abandonné au gouvernement de Wang Cing Wei, **suppôt** des Japonais, les antiques privilèges dont nous avions le bénéfice à Shanghai, Canton, Tien-Tsin, Amoy et Hang-Keou. Il n'était pas question de les récupérer. Mais il fallait, **en bonne et due forme**, **entériner** leur

gestion management

droit public et privé public and private (sector) law

On devine One can imagine

embarras embarrassment

juristes lawyers

à l'issue de at the end of

nous ne souhaitions pas we didn't wish for

non moins no less

souci problem

l'arrière-plan background

sur place on the spot

prise en compte consideration

avait à régler had to organize

retrait withdrawal

reddition surrender

il dut entamer ses prémices he did lay the groundwork

dans le quotidien des jours day in and day out

remise à flot *in effect:* reinstating

voire even

endommagées damaged

n'avait de cesse had no end

immensités mornes dreary expanses

délabrement dilapidation

orgueil pride

Pas plus n'était-il surpris No longer was he surprised

il eût été faux it would have been unfair

désemparait disabled

se consacrait was devoting himself

refouler repel

emprise influence

s'étendait was extending

disposait...d'une représentation ran a branch office

par l'habile, par l'intègre by the skillful, by the honest

Chou En-lai (1898–1976) Chinese political leader who became president of the People's Republic of China

chinoise derogatory term connoting "devious" or "convoluted"; *chinoiseries* = gratuitous complications

transfert à la puissance légitime. L'affaire avait des aspects nombreux, financiers, économiques, de **gestion**, de domaine, de **droit public et privé**. **On devine** ses **embarras**, et la manière dont les **juristes** la compliquaient au point de la rendre inextricable, sauf **à l'issue d'**une crise que **nous ne souhaitions pas**.

Autre question **non moins** complexe. Comme on l'imagine, le **souci** de notre souveraineté en Indochine constituait l'**arrière-plan** de nos approches. Les vues divergentes ou successives des autorités françaises, **sur place** ou au gouvernement, ne rendaient pas faciles la **prise en compte** et la défense de nos intérêts. C'est dans ce contexte que Pechkoff **avait à régler** le **retrait** des troupes chinoises stationnées au Tonkin après la **reddition** du Japon. S'il n'eut pas le temps d'en voir la fin, **il dut entamer ses prémices**.

Enfin, **dans le quotidien des jours**, s'inscrivait l'effort permanent de la **remise à flot** de ce qui restait de nos institutions culturelles, commerciales, **voire** religieuses, **endommagées** par les tempêtes du temps. Ce rétablissement devait s'accompagner d'une rénovation, travail qui **n'avait de cesse**.

*
* *

Les **immensités mornes** du paysage, le **délabrement** des choses, l'**orgueil** d'un passé vénérable ne surprenaient pas Pechkoff. Il avait vu ailleurs cette trilogie. **Pas plus n'était-il surpris** par le désordre institutionnel, qu'**il eût été faux** d'appeler chaos mais qui **désemparait** l'intelligence et décourageait l'action. Sur le plan de la politique générale, qui était aux mains de l'Amérique, son délégué militaire, le général Stillwell, **se consacrait** à l'organisation d'une armée chinoise capable de **refouler** l'invasion japonaise, tandis que le maréchal Tchang Kai-chek destinait ses forces à la lutte contre l'adversaire intérieur, le parti communiste. Celui-ci, dont l'**emprise s'étendait** et se consolidait de jour en jour, **disposait** dans la ville, avec l'accord de son rival, **d'une représentation** dirigée par l'énergique, **par l'habile, par l'intègre Chou En-lai**. Situation aberrante, que l'on qualifiait justement de « **chinoise** ».

se secouer vigoureusement la main vigorously shaking hands
on leva les verres they lifted their glasses (for a toast)
l'espace de ce temps for the moment
ricanaient snickered
sur fond de tragédie with tragic undertones
les réprouvait *here:* reproached them

chevronnés experienced
à tous égards in all respects
reprendre to take over
rédaction drafting
en les lui représentant *in effect:* telling him they were
démarquages *here:* changes
dupe fooled
incertain uncertain
Il ignorait en particulier le subjonctif des verbes In particular, he
    didn't know the subjunctive of verbs. (Mastery of the subjunctive
    is generally seen as a sign of sophistication.)
survenait surfaced
rédiger to draft
compte rendu report
nous n'avions pas assisté had not attended
Nous nous acquittions...de We completed
convenablement reasonably well
ne relevaient rien noted nothing

Pechkoff racontait que son collègue Patrick Hurley, ambassadeur de Roosevelt, avait eu l'idée d'organiser une rencontre symbolique entre les deux adversaires, Tchang et Chou. Il les avait vus **se secouer vigoureusement la main** avec le sourire inimitable de leur visage incrédule. Photographie prise, **on leva les verres**, l'Américain fut en paix, **l'espace de ce temps** ; le lendemain reprenait la guerre des deux Chines, sans merci. Certains **ricanaient** de ce spectacle comique **sur fond de tragédie**. Zinovi **les réprouvait** : « Ils ne comprennent pas. C'est du théâtre, du grand théâtre. Il faut applaudir. »

*
* *

L'ambassadeur trouvait sur place des conseillers **chevronnés**, des secrétaires dévoués, et **à tous égards** remarquables. Jacques Roux, Jean Daridan, Guillermaz, Landy, pour ne citer que ceux-là. Ils formaient une équipe solidaire. Mais ils avaient tous le même problème, voici ce qu'en dit Guillermaz[1] :

« Le général Pechkoff parlait avec un accent russe et n'écrivait pas sans faiblesse de syntaxe ni de style… Nous devions parfois **reprendre** la **rédaction** de ses messages **en les lui représentant** comme des **démarquages** justifiés par la sécurité du Chiffre. Il n'était pas **dupe**, et laissait le plus souvent les détails de la rédaction à ses collaborateurs. »

Jacques Roux dit de lui la même chose : « Bien que naturalisé depuis longtemps, l'ambassadeur de France ne parlait qu'un français **incertain. Il ignorait en particulier le subjonctif des verbes.** Une difficulté **survenait** lorsque, au retour d'une conversation avec le Premier ministre, il nous demandait, après quelques vagues indications, de **rédiger** le **compte rendu** d'entretiens auxquels **nous n'avions pas assisté. Nous nous acquittions convenablement de** cet exercice, et les lecteurs du département **ne relevaient rien**

---

1. Extrait d'*Une vie pour la Chine*, Mémoires de Jacques Guillermaz, Robert Lafont, 1989.

dépêches dispatches
parole *here:* wording
celles-ci rectifiée the former corrected
celle-là respectées the latter respected

Comment l'eût-il parlé How could he have spoken
mandarins diplômés equivalent to Ivy League graduates
le moindre banc *literally:* "a single school bench", *i.e.,* schools he had
   never attended
au fil des jours over time
au gré des lieux depending on where he was
semé strewn
trouvailles discoveries
empruntait à borrowed from
cocasse funny
se gaussait made fun
la Cadémie a pun on l'Académie française, the bastion of proper
   usage. The maréchal de Saxe allegedly poked fun at the standards
   he could not attain.
en estapette *more correctly: en estafette* = as a liaison officer
fige freezes
faciès facial features
en bille de bois a block of wood
lorsqu'il s'embrouille when he gets tangled up
il fulmine he seethes
On le sent bouillir One senses he's boiling
coupable guilty
hilarant lapsus hilarious slip of the tongue
enjoliver embellish
démunir deprive
fidélité loyalty
il a gravi les échelons he climbed the steps

d'obscur ni d'incohérent dans ces correspondances [1]. »

En citant mes collègues, je m'entends moi-même. Je ne compte plus les **dépêches** ainsi composées dans mon bureau, en son nom, portant ses idées et sa **parole, celles-ci rectifiée, celle-là respectées.**

*
* *

Comment l'eût-il parlé, ou écrit, notre idiome de **mandarins diplômés**, appris dans les écoles dont il n'avait jamais fréquenté **le moindre banc** ? Il s'exprimait dans un jargon qui lui était personnel, récolté **au fil des jours, au gré des lieux**. Jargon composite, où le français **semé** de **trouvailles empruntait à** l'anglais ou à l'italien, mais jamais au russe, des locutions d'où résultait un ensemble **cocasse**. On songe au maréchal de Saxe qui **se gaussait** de ne pas parler comme à « **la Cadémie** », et envoyait son aide de camp « **en estapette** ». Ne sourions pas, ce serait souligner l'insolite. Ne corrigeons pas, ce serait dénoncer l'incorrect. Notre ambassadeur est la susceptibilité même, le moindre soupçon d'ironie **fige** son **faciès** en **bille de bois**. Bornons-nous à acquiescer, ou peut-être à ajouter quelques mots pour montrer que nous avons compris. Toute une pratique. « Oui, voilà, exactement », approuve-t-il. Son visage s'illumine. Au contraire, **lorsqu'il s'embrouille** dans une phrase qui tourne mal, **il fulmine. On le sent bouillir**, on se sent **coupable**. Laissons passer l'orage, gardons notre sérieux. D'ailleurs, on ne se moque pas du général Pechkoff. J'ai parfois la tentation de citer la meilleure de ses perles, son plus **hilarant lapsus** pour **enjoliver** les portraits que voici. Je m'y refuse, par un respect dont je ne saurais **démunir** ma **fidélité**.

Cette singularité d'expression a toujours été le propre de notre homme. Pourquoi se signale-t-elle aujourd'hui ? C'est qu'**il a gravi les échelons** d'où on l'aperçoit mieux, en tout cas différent. Rien ne surprenait dans la bouche du légionnaire débarquant de sa Russie natale, racontant ses histoires avec l'accent qui les embellit et les

---

1. Document manuscrit, conservé par l'auteur.

gaucheries clumsinesses
son propos his point
périphrases circumlocutions
estropie cripples
bougonne grumbles
plaider un dossier plead a case
éclairer un comité enlighten a committee
saluer une assemblée greet an assembly
conduire un colloque lead a seminar
besognes coutumières customary tasks

lacunes *here:* weaknesses
il s'en tient au commerce he limits himself to the use
prendre la sienne en faute fault his own (language)
l'Hexagone France (which is roughly the shape of a hexagon)
il s'épanouit he blossoms
Il a pour brevet sa bravoure Bravery is his diploma
avec qui de droit with just anyone
il les contourne he skirts around them
s'entremettre to mediate
accueil prévenu anticipated welcome
partie gagnée problem resolved
qui me manque I'm missing

gaucheries qui les garantissent. Les fantaisies du verbe soulignaient le personnage, en illustrant **son propos**. Tandis qu'un général qui trahit la grammaire, un ambassadeur qui bouscule ses **périphrases, estropie** son vocabulaire, **bougonne** ses conclusions, quelle extravagance ! Chaque fonction a ses façons. Celles de Pechkoff vont-elles lui permettre de **plaider un dossier**, d'**éclairer un comité**, de **saluer une assemblée**, de **conduire un colloque, besognes coutumières** de son nouvel emploi ?

*
* *

Limité comme je l'ai dit, connaissant ses **lacunes, il s'en tient au commerce** d'un petit nombre. Mais il sait, comme personne d'autre, en faire des intimes et se les attacher. Parmi eux se trouvent les étrangers utiles qu'il a découverts et dont la connaissance de notre langue est rarement assez parfaite pour **prendre la sienne en faute**, ou bien qui parlent anglais comme on le fait couramment dans cette partie du monde. Sa notion d' « étranger », du reste, ne colle pas tout à fait à la nôtre, les natifs de **l'Hexagone**. Dans le cercle où il invite tous ceux dont son instinct lui dicte le choix, il charme, **il s'épanouit**. On le crédite de son expérience et de ce qu'elle enseigne. Il a vu tant de choses, de gens, une telle succession de perspectives ! **Il a pour brevet sa bravoure**.

Au cours de ces réunions on ne peut dire qu'il aborde les affaires **avec qui de droit, il les contourne**, opérant de loin, sans en avoir l'air. Le lendemain, il enverra ses collaborateurs pour **s'entremettre**. Ils trouveront la porte ouverte, un **accueil prévenu**, peut-être la **partie gagnée**.

Ses collaborateurs. Son équipe. Nécessaire et fidèle. Il l'envoie faire ce qu'il ne sait pas faire, mais dont il a si bien préparé la tâche. « J'ai trouvé le bras droit **qui me manque** », plaisante-t-il.

touche à sa fin comes to a close

demeure residence

ancienne former

ordonnée tidy

encombrés messy

Aucun dossier Not a single file

normalien graduate of the École normale supérieure, the pinnacle of intellectual training

diplômé de japonais with a degree in Japanese

Il nous a fait venir He asked us to come

qui veut une réponse that needs a response

crâne luisant shining head

unique only

sa manche flotte depuis l'épaule his sleeve floats from his shoulder

la mitraille à bien fait son œuvre the machine gun did its work well

dévoiler reveal

verbe spoken word

mine expression (on one's face)

sert helps

pétillent sparkle

XIII

C'est à Tokyo que ma mémoire l'aperçoit le mieux. Je viens d'y être nommé. Au printemps 1946 il a été désigné chef de la Mission française au Japon avec rang d'ambassadeur. La matinée **touche à sa fin**. Il est assis derrière son bureau de Shimazu House, la **demeure** d'une illustre famille où l'ambassade s'est installée, puisque notre **ancienne** résidence est en ruine. La pièce est petite, **ordonnée**, il n'aime pas les bureaux **encombrés**. **Aucun dossier** sur la table. Autour de lui se tiennent Renaud Sivan le diplomate, Claude Burin des Roziers l'amiral, Mornand le financier, Chazelle le **normalien**, Jean de Selancy l'aide de camp, Pignol l'indispensable, Toussaint le consul, Joly l'attaché de presse **diplômé de japonais**, Robert Guillain, l'ami, le journaliste de passage... Tout son monde... **Il nous a fait venir** pour parler d'un message de Paris **qui veut une réponse**, ou d'un événement de la région qui mérite un commentaire. Rien d'inhabituel. Il caresse son **crâne luisant** de son **unique** main, la gauche, puisque, à droite, **sa manche flotte depuis l'épaule : la mitraille a bien fait son œuvre**.

Très vite, la conversation abandonne son projet premier qui était secondaire. Nous parlons de ce que nous voyons autour de nous, pour le plaisir de l'entretien, et la mesure de l'amitié.

Je le regarde autant que je l'écoute. Il confirme qu'il y a d'autres moyens pour **dévoiler** une pensée que l'usage régulier d'un **verbe** impeccable. Les acteurs le savent, la **mine**, la main, le geste, tout leur **sert**. Les yeux de Zinovi **pétillent**. Dans son enfance il avait, paraît-il,

roulis de ses prunelles the twinkle in his eyes

tournures turn of a phrase

bavures blunders

bévues blunders

entraveraient le jeu would hinder the exchange

Affranchie Freed

délestée diverted

mirobolante fabulous

luisances sheen

Il est nyctalope He sees in the dark

renchérit retorts

clin d'œil glance

rechigne balks at

jument mare

haie hedge

Montaigne Michel Eyquem de Montaigne (1533–1592), French writer, originator of the modern essay

parleries term coined by Montaigne to designate the limits of language, used to refer to wordy colloquia

mobiles humeurs fickle moods

malignité malice

malveillance spite

fusent burst forth

bavardages chattering

il boude he is sulking

ne communie pas is not in tune

repères marks

Roland à Roncevaux Roland (the legendary paladin) at the Roncevaux pass in the Pyrénées, where he made his last stand against the Saracens

Saint Louis sous son chêne King Louis IX (1215–1270) sitting on his throne under an oak in Vincennes, adjudicating disputes or injustices

Jeanne à Domrémy Joan of Arc (1412–1431) in her native town

Robespierre en Thermidor In the month of Thermidor (July) 1794, Maximillien Robespierre was challenged, ousted, and guillotined.

Bonaparte en Brumaire On 18 Brumaire (November) 1799, Napoleon Bonaparte engineered a coup d'état.

voyou hoodlum

benjamin younger/youngest son

Joachim du Bellay (c. 1522–1560) French poet and ambassador to the Vatican who was nostalgic for his native France

rêvé d'être clown. Le **roulis de ses prunelles**, la gamme de ses mimiques permettraient de le croire. L'argument se fait clair, l'idée se voit.

Je me demande même si les déraillements de sa syntaxe, les fantaisies de ses **tournures**, qui paraissent autant de **bavures** et de **bévues** ne libèrent pas une analyse dont les règles du « bien dit » **entraveraient le jeu** s'il la soumettait à leur contrôle. **Affranchie** de ses contraintes, **délestée** de ses conventions, sa pensée saute dans les découvertes, affirme son aptitude **mirobolante** à l'intelligence immédiate. Éclair qui va plus vite, plus loin que nos **luisances**. « Il voit dans la nuit », me dit Jacqueline. « **Il est nyctalope** », **renchérit** Sivan. Son **clin d'œil** lui offre ce que d'autres attendent des labeurs de l'esprit.

*
* *

Et parfois (on ne sait pour quelle raison), cette même pensée **rechigne**, refuse, comme une **jument** devant la **haie**. **Montaigne** se méfiait aussi des « **parleries** ». Les caractères subtils abritent de **mobiles humeurs**. Que s'est-il passé ? A-t-il senti une ombre de **malignité**, un nuage de **malveillance** dans un regard, un propos ? Il est sensible, hypersensible à tout. Tandis qu'à son oreille **fusent** les **bavardages**, il s'éclipse. Il n'est plus là. Où donc est-il ? Loin de nous. On croirait qu'**il boude**.

Il est loin, en effet, cet homme qui nous touche de si près. Sa communication, comme on dit aujourd'hui, **ne communie pas** avec nos **repères**. Un exemple : l'Histoire, une certaine Histoire dont nous sommes imprégnés parce qu'elle fonde notre enfance. **Roland à Roncevaux, Saint Louis sous son chêne, Jeanne à Domrémy, Robespierre en Thermidor** et **Bonaparte en Brumaire**, je ne sais qui encore, sont les ancêtres de notre famille dont nous sommes les héritiers. Mais ils sont totalement absents de la sienne. À Nijni-Novgorod, le gentil **voyou** de la Volga, le **benjamin** révolté contre la société apprenait l'humanité, non les humanités et sûrement pas **Joachim du Bellay**. L'autre jour, revenant de Kyoto, pris d'un rêve nostalgique, j'ai récité devant lui :

Plus mon Loir gaulois...latin   I'd rather have my Gallic Loir (River) than the Latin Tiber (River)

Liré   village near Nantes

mont Palatin   Palatine Hill, one of the seven hills of Rome

air marin   sea air

douceur angevine   relaxed rhythm of life in the Anjou region

Orléans Beaugency...Vendôme   from a well-known children's counting rhyme: "Mes amis, qui reste-il/A ce dauphin si gentil/Orléans, Beaugency/Notre Dame de Cléry/ Vendôme, Vendôme/Les ennemis ont tout pris/Ne lui laissant par mépris/Qu'Orléans, Beaugency/ Notre Dame de Cléry/ Vendôme, Vendôme." The dauphin in question was the future Charles VII, who found his dominion reduced to these towns during the Hundred Years' War. The church bells in the towns (and Bourges) still ring out this *comptine* three times a day to commemorate their loyalty to the king.

Je me suis soudain réveillé   I suddenly came to

confus   embarrassed

j'avais creusé le fossé   I had dug the moat

je m'en repens encore   I'm still repenting for it

Je ne ferai plus de telles erreurs   I won't make errors like that again

je prendrai garde   I will be careful

de bric et de broc   any old way

se contrarient   *here:* are at odds

se composent   are brought together

droit   straight

tordu   twisted

sec   *here:* sharp

intégrisme   fundamentalism

contrefait   *here:* distorts

bannit   banishes

raideur   inflexibility

vilipender   revile

faillit être acteur   almost became an actor

tréteaux   stage

estrade   stage

écran   (movie and television) screen

embûches   pitfalls

atout   asset

pérenne   lasting

cause bien   is well spoken

> **Plus mon Loir gaulois que le Tibre latin**
> *Plus mon petit* **Liré** *que le* **mont Palatin**
> *Et plus que l'***air marin** *la* **douceur angevine**

Dans le même soupir j'ai poursuivi :

> **Orléans Beaugency**
> **Notre-Dame de Cléry**
> **Vendôme, Vendôme.**

Je me suis soudain réveillé, **confus** devant sa confusion. Il ne comprenait pas. En trois vers, **j'avais creusé le fossé** qui l'isolait de moi, de nous. C'était ma faute et **je m'en repens encore. Je ne ferai plus de telles erreurs, je prendrai garde.**

*
* *

Zinovi Pechkoff, nature **de bric et de broc**, genre baroque (le portugais *barocco* désigne une perle irrégulière), mélange les styles qui **se contrarient** et pourtant se **composent**, le tendre et le dur, le **droit** et le **tordu**, le **sec** et le doux, le jour et la nuit. Son intégrité refuse l'**intégrisme** qui **contrefait** la conformité. Sa rigueur **bannit** la **raideur**. On peut le vénérer ou le **vilipender**, mais il est valeureux, cet homme vrai aux vérités variées, aux vertus variables, toujours brouillé avec le médiocre.

Intrigant personnage, qui déteste l'intrigue, **faillit être acteur**, fuit la foule et ses **tréteaux**. Dédaignant de paraître, refusant de se manifester, nature cachée, couverte, parfois indéchiffrable, s'il avait vécu de nos jours où l'**estrade** et l'**écran** décident de nos mérites, eût-il accompli son odyssée ? Eût-il été, simplement, aperçu ? Même au siècle qui fut le sien, comment ne pas s'émerveiller d'un tel chemin malgré de telles **embûches** ? Le beau langage est un **atout**, un outil pour une carrière. La rhétorique qui couronnait jadis les études secondaires est le nom démodé d'une valeur **pérenne** dont les subtilités sont des utilités qui font dire aux bonnes gens : « Il **cause bien**,

détroit strait (body of water)
circonscrit contained
que pour son malheur only to face misfortune
régente regulates
innomé undefined
honte shame
défaite defeat
où circulent les apparences
dissimule conceals
impénétrable inscrutable
ne s'étonne de rien is surprised at nothing
se réveillaient de leur torpeur awoke from their lethargy
craignant fearing
emprise influence
y prêtaient la main lent them a hand
retrouvait ses marques got his bearings again
convenait admitted
valait was worth
règlements settlements
fougueuse spirited
partait à la rencontre went back to
Sans contester Without disputing
nous n'entendions laisser prescrire we had no intentions of giving up

était soumis à la volonté was subject to the will
arborant sporting
dont on venait de le doter which had just been bestowed on him
avait gagné had won
s'étaient compris had understood each other

ce Monsieur. » Non, ce n'est pas le cas de Zinovi Pechkoff, ambassadeur de France à Tokyo.

*
* *

Le Japon, qu'un **détroit** sépare de la Chine, est un univers. Vaincu, il est resté impérial, **circonscrit** dans son archipel dont il n'est sorti **que pour son malheur**. Une série de codes sévères datant des siècles où il ne regardait que lui-même, **régente** les mœurs et les mentalités. L'honneur y tient une place majeure, avec son corollaire **innomé**, la **honte** : la **défaite** n'a pas détruit ces valeurs. La société, **où circulent les apparences**, **dissimule** l'**impénétrable** où se tiennent les existences. Pechkoff, le mystérieux, **ne s'étonne de rien**.

Pour ce qui nous concerne, nos institutions de toutes sortes, instruments de notre action, **se réveillaient de leur torpeur**, et beaucoup de Japonais, **craignant** la trop forte **emprise** de l'Amérique, **y prêtaient la main**. À Paris, l'administration **retrouvait ses marques**, commençait à lire nos lettres, et **convenait** que l'Asie **valait** d'être un partenaire actif plutôt qu'un client négligé. Par là même, nous réaffirmions notre vocation de figurer dans tous les **règlements** concernant la zone. Avec une nostalgie **fougueuse**, l'ambassade **partait à la rencontre** des temps où la France tenait un premier rôle dans ce théâtre. **Sans contester** les changements qui ne nous favorisaient pas et dont beaucoup étaient irréversibles, **nous n'entendions laisser prescrire** nos droits ni nos devoirs, là où s'organisait, après le passé de la guerre, le possible de la paix.

*
* *

En ces temps-là, le Japon **était soumis à la volonté** exclusive du commandant des Forces alliées dans le Pacifique, le général MacArthur. Dès la première visite qu'il lui fit, le général Pechkoff, **arborant** la quatrième étoile **dont on venait de le doter**, **avait gagné** sa sympathie. Les deux hommes **s'étaient compris**. Je le dis tout de suite : la conséquence en était que la plus modeste de nos

161

recevable acceptable

feintes feigned

éclatant dazzling

survolait *here:* skimmed over

traité d'affaires talked business

me rapportait *here:* told me about

entretiens courants everyday discussions

afin que je les note so that I could make a note of them

il ne révélait rien he didn't reveal anything

dont il ne souhaitait pas rendre compte which he didn't want to report back on

subalterne subordinate

J'aurais été en peine I would have been hard-pressed

ne prenait pas très au sérieux didn't take very seriously

atteints par who had reached (a certain)

rassasié satisfied

Imperator conquering power

Il n'avait pas assisté He had not attended

passerelle bridge

navires ships

étriqués cramped

jaquettes morning coats

dictée *here:* dictated terms

n'avait jamais entendu pareille clémence had never heard such clemency

qu'il vient d'abattre that he had just beaten

avait moins apprécié had not been entirely pleased

que ce soit moi qui fasse le récit that it was I who told him

dont je tenais les détails de of which I got the details from

tout droit directly

il s'en était emparé he had gotten hold of himself

162

démarches, dans le plus sombre bureau du fonctionnaire américain, devenait **recevable**.

L'admiration de Pechkoff pour MacArthur, et la curiosité de MacArthur pour Pechkoff, n'étaient pas **feintes**. Le destin exceptionnel de l'un, **éclatant** de l'autre, les portait ensemble vers les sommets d'une spéculation qui **survolait** la succession des jours. Je ne crois pas qu'ils aient souvent **traité d'affaires**. Ils regardaient le monde. Alors que l'ambassadeur **me rapportait** ses **entretiens courants afin que je les note**, **il ne révélait rien** de ses échanges avec le Commandant suprême, **dont il ne souhaitait pas rendre compte** à Paris, pour cette bonne raison qu'ils n'appartenaient pas au niveau **subalterne** des choses. Tant mieux. **J'aurais été en peine** de les transcrire. Ma jeunesse **ne prenait pas très au sérieux** ces « tours d'horizon » dont j'ai vu plus tard qu'ils sont, pour les diplomates **atteints par** l'âge, un plaisir véritable autant qu'inoffensif.

Je m'amusais aussi d'entendre l'homme **rassasié** d'événements évoquer la journée de 1945, ce dimanche d'été où l'**Imperator** américain avait reçu la capitulation de l'Empire céleste. **Il n'avait pas assisté** à la cérémonie, mais en relatait les détails comme s'il les avait en mémoire. La **passerelle** du *Missouri*, l'un des plus grands **navires** de la flotte victorieuse. La massive stature de généraux alliés. L'émotion indescriptible des plénipotentiaires japonais **étriqués** dans leurs **jaquettes**. Et alors, dans le plus absolu silence, la **dictée** du vainqueur au vaincu : « Nous sommes ensemble pour bâtir un monde meilleur, fondé sur l'amitié des peuples et la confiance des nations. » L'histoire **n'avait jamais entendu pareille clémence** dans la bouche d'un chef triomphant s'adressant à ceux **qu'il vient d'abattre**.

*
* *

Si mon souvenir est exact, l'ambassadeur **avait moins apprécié que ce soit moi qui lui fasse le récit** de la rencontre de MacArthur avec l'Empereur, **dont je tenais les détails d'**un aide de camp. Il eût souhaité que la confidence lui vînt **tout droit,** et de plus haut. Mais rapidement, **il s'en était emparé**. « Oui, je connais, on m'a tout

N'importe It doesn't matter

À son insu Without realizing it

il avait débaptisé mon témoignage *figuratively:* he had taken credit for information passed on to him

sceau du secret the seal of secrecy

L'inconscient fait l'invention que défait le dépit The subconscious fabricates what disappointment spoils

avait succédé had followed

aparté private conversation

s'étaient relayées having been handed off

dissemblables dissimilar

à partir de quoi after which

avait été sollicitée had been requested

qu'elle aurait lieu that it would take place

haut-de-forme top hat

col ouvert collar open

entrevue plutôt qu'entretien *in effect:* more show than substance

Le Japon s'y entend Japan knows about it

faisait l'événement was an event

Inouï Unprecedented

hormis except for

serrer la main to shake hands

se courber bowing

assumant la faute pour lui taking the blame on himself

il épargnait he was sparing

procès outrageant insulting trial

indue unwarranted

Il se pencha He leaned over

alluma à la sienne lit his cigarette from his (cigarette)

étouffé stifled

épiait was watching

tenture hanging (curtain)

rédigea son compte rendu wrote up his report

pin pine tree

supportant bearing

rapporté »[1]. Qui ? **N'importe. À son insu il avait débaptisé mon témoignage** avec tant de candeur qu'il l'évoquait devant moi sous le **sceau du secret. L'inconscient fait l'invention qui défait le dépit.**

C'était la seconde conclusion de cette année 1945, avant notre arrivée. À la solennité militaire **avait succédé** un **aparté** diplomatique, les deux scènes **s'étaient relayées,** symétriques, superbes, **dissemblables,** deux matinées **à partir de quoi** les jours étaient nouveaux.

L'audience **avait été sollicitée** par l'Empereur. MacArthur s'y attendait. Il décida **qu'elle aurait lieu** non dans son bureau de Commandant suprême, mais dans le salon de l'ambassade. Hiro-Hito tenait son **haut-de-forme** à la main. MacArthur était en uniforme sans décorations ni insignes, **col ouvert.** Dix heures, 28 septembre, il faisait chaud.

Le protocole avait prévu trente minutes : **entrevue plutôt qu'entretien.** « Échange de civilités. » **Le Japon s'y entend.** Le tête-à-tête **faisait l'événement.** Considérable. **Inouï.** L'Empereur n'avait jamais rendu visite à personne, **hormis** ses divins ancêtres, dans le sanctuaire sacré. En venant **serrer la main** du vainqueur, il n'était plus le fils de la déesse, incapable de **se courber,** mais un chef d'État malheureux saluant son heureux vainqueur, **assumant la faute pour lui,** la défaite pour son peuple. En accueillant le vaincu, le Commandant suprême signifiait qu'**il épargnait** au monarque un **procès outrageant** et à la nation une servitude **indue.** En l'occurrence c'était lui, MacArthur, le Vicaire, le Lieutenant du ciel, il n'en doutait pas d'ailleurs. **Il se pencha** pour offrir à son hôte une cigarette que celui-ci **alluma à la sienne.** Leurs deux mains tremblèrent en s'approchant. On entendit un rire nerveux, **étouffé,** celui de Jean MacArthur, l'épouse, qui **épiait** la scène en haut de l'escalier, derrière la **tenture.**

« Ce sont de grands moments », disait Pechkoff. Le symbole dépasse la parole. En rentrant au Palais, l'Empereur **rédigea son compte rendu** sous forme de poème : « Le **pin** courageux ne change pas de couleur en **supportant** la neige. »

---

1. Cette scène est également relatée dans le livre *An American Cesar*, de William Manchester, publié à Londres en 1979.

ne cadraient pas don't tally

l'indignait outraged him

ternir tarnished

thèse thesis

faisant l'économie obviating the need

conjurait une malédiction was warding off a curse

dont il avouait les outrages whose outrages he admitted

consacrait recognized

mal à l'aise ill at ease

procureur prosecuter

procès trial

dirigeants leaders

Non qu'il fût réservé Not that he was restrained

à l'égard (de) in regard (to)

réquisitoire indictment

forfait price to be paid

ne lui disait rien qui vaille didn't tell him anything worthwhile

Ils n'ont pas besoin d'être They didn't need to be

coupables guilty

fonds obscurs the dark and gloomy depths

s'enlisait was getting bogged down

ne se rencontraient pas would not come to terms

concilier reconcile

abîme abyss

procédure proceedings

aboutissaient ended up

issue douteuse doubtful outcome

répugnait was reluctant

à faire payer au Japon to make Japan pay

dommages damages

représaille reprisal

démonter dismantle

Pour les expédier To send them

avaient été dépêchés had been dispatched

dépendaient de reported to

*
* *

Bien des décisions américaines ou alliées **ne cadraient pas** avec l'éthique de l'ambassadeur de France. Les deux bombes, par exemple, sur Hiroshima et sur Nagasaki, doublé atomique qui **l'indignait**. Comment le président Truman, assuré d'une victoire imminente, avait-il accepté d'en **ternir** la gloire par ce massacre ajouté ? La **thèse** d'une apocalypse **faisant l'économie** d'une invasion lui semblait insensée. En vérité, je ne suis pas loin de penser qu'il voyait dans le feu nucléaire une manifestation diabolique. Lorsqu'il m'en parlait, il baissait la voix comme s'il **conjurait une malédiction**. On ne pouvait pas être en paix avec cette guerre-là. L'autre, celle qu'il avait faite, et **dont il avouait les outrages**, **consacrait** au moins le courage.

De même, il était **mal à l'aise** lorsque le juge français, ou notre **procureur**, venait lui parler du **procès** des **dirigeants** japonais. **Non qu'il fût réservé à l'égard** d'une justice poursuivant le crime. Mais le **réquisitoire** des vainqueurs était-il qualifié pour définir sans préjugé le **forfait** des vaincus ? L'inculpation de généraux qui avaient défendu leur pays **ne lui disait rien qui vaille** : « Ils ont obéi » ; ou bien : « **Ils n'ont pas besoin d'être coupables** pour être victimes. » Comment le général Pechkoff aurait-il pensé autrement ? Mais, au-delà de ces premiers réflexes, il apercevait les **fonds obscurs** où **s'enlisait** le drame. Sur les notions essentielles de la conduite humaine et de sa responsabilité, l'Occident américain et l'Orient japonais **ne se rencontraient pas**. Le débat, destiné à **concilier** les consciences, ouvrait l'**abîme** qui les séparait. On savait que parmi les juges, plusieurs se sentaient incertains et se déclaraient incapables. Trois ans de **procédure aboutissaient** à cette **issue douteuse**.

Le général **répugnait** aussi **à faire payer au Japon** le prix des **dommages** que nous avions subis de son fait. Le marché le choquait. « Les réparations, qu'est-ce, dites-moi ? Je n'aime pas la **représaille**. » Mais Paris avançait son plan : **démonter** les usines japonaises d'armement. **Pour les expédier** où ? Devinez. En Indochine. Comment ? Deux ingénieurs généraux sortis de l'École polytechnique **avaient été dépêchés** pour mettre en œuvre cette bonne idée. Les deux fonctionnaires **dépendaient de** deux ministères différents, leurs méthodes s'opposaient et ils se détestaient. Pechkoff les recevait

à tour de rôle   one after the other

moins j'en crois mes oreilles   the less I believe my ears

en tout et pour tout   for all intents and purposes

convenable   appropriate

dépouilles   spoils

épuisé   exhausted

Rien ne les faisait dévier   Nothing made them deviate

foi   faith

baraka   good fortune

génie   genius

électeur japonais   Japanese electorate

diète   diet, parliament

appauvri   impoverished

maux   troubles

rédemptrices   redeeming

brûler le trône et les icônes   *in effect:* set fire to the monarchy and the
  Russian Orthodox Church

jeter aux ordures   throw in the garbage

vétustes   dilapidated

redressant un drapeau   raising a flag

soleil levant   rising sun, a reference to the "Land of the Rising Sun,"
  i.e., Japan

ébranlé   weakened

demeurait ferme   remained firm

en fin de compte   in the final analysis

créature   *i.e.,* human race

le temps d'une moue   long enough to make a face

comme s'il allait proférer   as if he were going to divulge

à tour de rôle. « Plus je les écoute, **moins j'en crois mes oreilles** », me disait-il. Il avait évidemment compris que notre prétention relevait d'un souci permanent : malgré la capitulation de Vichy, nous placer **en tout et pour tout** dans le camp des vainqueurs. Mais, en l'occurrence, il ne trouvait pas **convenable** de se partager les **dépouilles** d'un adversaire **épuisé**.

*
* *

J'ai relu récemment quelques-unes des dépêches que je rédigeais sous son inspiration. **Rien ne les faisait dévier** de sa **foi** dans la « **baraka** », ou peut-être le **génie**, du commandant américain. Les événements lui ont donné raison. Et pourtant, en janvier 1945, l'**électeur japonais** avait envoyé à la **diète** 35 députés communistes. Le pays, abattu, **appauvri**, faisait de l'occupation étrangère la cause de ses **maux**. De l'autre côté de la mer, la Chine de Mao, l'URSS de Staline, récitaient leurs formules **rédemptrices**. Pechkoff avait vu la Sainte Russie **brûler le trône et les icônes**, la Chine **jeter aux ordures** les vénérations **vétustes**. Ne pouvait-on imaginer un Japon **redressant un drapeau** où le rouge du **soleil levant** prendrait toute sa place ? Mais non, bien qu'**ébranlé**, Pechkoff **demeurait ferme**. Il croyait que Dieu était supérieur au diable et qu'**en fin de compte**, il sauverait la dignité de sa **créature** et l'ordre de son univers. « Vous verrez, la paix fera son chemin. » Il laissait passer **le temps d'une moue** : « Parce qu'il y a un chemin, il y a sûrement un chemin. » Il baissait le ton, **comme s'il allait proférer** un secret. « Je fais confiance à MacArthur. Il sait ce qu'il faut faire. Nous en avons parlé. »

*
* *

Je retrouve ce texte de Chazelle [1], qui traduit assez bien la pensée admirative et confiante de l'ambassadeur :

---

1. Sous le nom de Jacques Cheroy, ce remarquable collègue a publié en 1954, chez Hachette, *Où va le Japon ?*

haute carrure   considerable frame

courbé   bowed (in humiliation)

lui était échu   had fallen to him

insensible   impervious

atteintes   effects

orgueil   pride

poussant le raffinement jusqu'à feindre la modestie   pushing refinement to the point of feigning modesty

qui confinait   that was at the edge

lui valaient   earned him the right

à merveille   marvelously

l'entretenir   (how) to maintain it

artifices   tricks

habile dosage   skillful amount

dont il entourait   with which he surrounded

franchise   frankness

assortir   match up with

crainte   fear

clarté   clarity

infrangible   *here:* unyielding; *literally:* unbreakable

plus que quiconque   more than anyone

sur laquelle ils ne perdaient point de temps en lamentations   about which they wasted no time whining

avait suscité   had given rise to

culpabilité   guilt

avoir trempé   having been involved

montraient d'autant moins de réticence   showed much less reluctance

à s'en reconnaître solidaires   to see themselves as being complicit

Trompés   Having fallen short

rude   harsh

puissance américaine   American power

devoir   duty

haine   hatred

sans se départir   while retaining

sous-jacente   underlying

écrasante   crushing

en y cédant   by yielding to it

Devant des êtres   Before people

voire   even

« Dominant de sa **haute carrure** et de son prestige exceptionnel un peuple **courbé** devant lui, le général Douglas MacArthur qui, du sommet du Dai Chi, l'immeuble " numéro 1 " de Tokyo, en face du Palais impérial, allait gouverner le Japon, méritait à plus d'un titre le redoutable honneur qui **lui était échu**. Un courage légendaire, une vitalité **insensible** aux **atteintes** de l'âge, un **orgueil poussant le raffinement jusqu'à feindre la modestie**, un charme personnel **qui confinait** au magnétisme, **lui valaient** d'exercer non seulement sur son entourage, mais aussi sur des armées ou des foules, une influence presque irrésistible. Il savait d'ailleurs **à merveille l'entretenir** par les **artifices** d'une publicité tyrannique : l'**habile dosage** de mystère **dont il entourait** sa personne et de **franchise** dont il entendait **assortir** son action lui assurait tout à la fois la **crainte**, l'admiration et le respect des Japonais. Sa puissance de travail, la **clarté** et l'équilibre de son jugement, sa méticuleuse mémoire, une éloquence meilleure que son style, son énergie enfin, son obstination **infrangible** le qualifiaient **plus que quiconque** à la conduite d'une telle entreprise.

« Mais l'occupé, de son côté, était également exemplaire. S'adaptant sans hésitation aux conditions nouvelles, les Japonais acceptaient stoïquement les conséquences d'une catastrophe **sur laquelle ils ne perdaient point de temps en lamentations**. À la différence des Allemands, chez qui une mauvaise conscience **avait suscité** un complexe de **culpabilité**, et qui cherchaient à s'en libérer en se défendant d'**avoir trempé** dans les crimes hitlériens, les Japonais, victimes d'un régime qu'ils n'avaient pu juger, **montraient d'autant moins de réticence à s'en reconnaître solidaires. Trompés**, ils avouaient leur erreur – et étaient prêts à en payer le prix.

« D'une nécessité aussi **rude**, il était humain de faire vertu. Or la **puissance américaine** – que ce peuple venait de combattre simplement par **devoir**, mais sans véritable **haine** personnelle et même **sans se départir** de l'admiration **sous-jacente** qu'il lui avait toujours portée – se révélait si **écrasante** et s'affirmait par des armes si extraordinaires que le Japon, **en y cédant**, ne perdait presque plus la face. **Devant des êtres** techniquement, culturellement, **voire**

vive acute

qu'elle n'eût été than it had been

Exalter To extol

surhommes supermen

on le conçoit one imagines

se laissaient aisément convaincre let themselves be easily convinced

par là même the very means of

sa propre défaite their own defeat

boîte à outils tool box

boîte à pansements first-aid kit

soulager bring relief

brocarde deride

Il a le souci du sérieux He cared about gravity/seriousness

physiquement si différents, l'humiliation était moins **vive qu'elle n'eût été** devant des voisins, les Chinois par exemple. **Exalter** au contraire leur supériorité, les glorifier comme des **surhommes** – dont beaucoup, **on le conçoit, se laissaient aisément convaincre** – c'était **par là même** excuser, justifier **sa propre défaite.** »

En résumé, concluait Chazelle, MacArthur, afin d'occuper ses occupants, leur a donné deux boîtes : une **boîte à outils** pour réparer le pays, une **boîte à pansements** pour **soulager** le peuple. Et ça marche…

Au fond, Pechkoff est d'accord, mais il n'aime pas qu'on **brocarde** ses grands hommes. **Il a le souci du sérieux.**

inquiéter de to worry about

supportant bearing

Ne partageant avec personne Not sharing with anyone

apaisante soothing

pli urgent urgent letter

allongé stretched out

catafalque platform that supports a coffin *or* a coffin-shaped structure draped with a pall that is used a substitute for an actual coffin at a requiem mass

à peine suffisante pour lire hardly sufficient for reading

guéridon pedestal table

sur la pointe des pieds on tiptoe

chevet nightstand

relié en rouge bound in red

L'Imitation de Jésus Christ one of the Western Church's most influential spiritual guides. The four-volume anonymous work is attributed to Thomas à Kempis (1380?–1471).

persiflait said jokingly

il révasse he's daydreaming

il ressasse he's dwelling on the same things

cela peut signifier s'absorber dans une réflexion that can mean being absorbed in a reflection

admonestations admonitions

moine monk

Sainte-Agnès Augustinian monastery near Zwolle, in the Netherlands, where Thomas à Kempis was a subprior and master of novices. It was practically obliterated in the 16th century.

requête petition

renoncement renunciation

indicible réconfort *here:* unutterable comfort

au petit matin early in the morning

cadence de son pas rhythm of his step

oraison prayer

épanouissement flowering

XIV

Il nous arrivait souvent de nous **inquiéter de** ce que faisait l'ambassadeur le soir dans sa grande maison. Nous imaginions l'homme seul, **supportant** toutes les formes de la solitude. **Ne partageant avec personne** un souvenir plaisant, une familiarité **apaisante**. Un jour où je devais lui apporter un **pli urgent**, je l'avais trouvé **allongé** sur le lit qu'il avait placé au milieu de sa chambre, comme un **catafalque**, surmonté d'une lumière **à peine suffisante pour lire**. Sur le **guéridon**, à côté du verre d'eau, il avait placé le portrait de Gorki. J'étais sorti en silence, **sur la pointe des pieds**…

Certains disaient qu'il méditait beaucoup. On avait vu à son **chevet, relié en rouge**, ouverte à une page du milieu, *L'Imitation de Jésus-Christ.* La nouvelle secrétaire, qui s'était donné le droit d'entrer chez lui, **persiflait** : « Pas du tout, **il rêvasse, il ressasse**. » Elle se trompait, ou ne savait pas que rêvasser, **cela peut signifier s'absorber dans une réflexion**. Pechkoff aimait spéculer. Comme je lui demandais ce qu'il faisait de ses soirées, il m'avait répondu : « Je pense à des choses qui ne sont pas des choses. »

Mais non. Il aime trop le monde pour suivre les « **admonestations** spirituelles » du **moine** de **Sainte-Agnès** qui recommandent de s'en détacher. Ce qu'il recherche dans la prière n'est ni la **requête** ni le **renoncement**, mais l'**indicible réconfort** de sa divine poésie. Cet homme sans mots est habité de sentiments. Dès qu'il le peut, **au petit matin**, il va marcher dans la campagne, visiter les arbres, saluer les prairies. La **cadence de son pas** récite une **oraison**, celle qui loue en silence l'œuvre de Dieu dans l'**épanouissement** de sa nature, et bénit la journée.

incrée uncreated

inatteignable unattainable

plane hovers

hante haunts

inégalé unequaled

cerisiers cherry trees

on commence par l'inconnu one begins with the unknown

on finit par l'intime one ends with the intimate

Comme nombre entre nous Like many of us

sans savoir ce dont il parle without knowing of whom he is speaking

en ressentant feeling

émoi turmoil

façonnée shaped

rude *here:* hard

on la devine one imagines it

ses semblables his fellow men

combinés a combination

de ciel et de boue of sky and of mud

amont what came before

aval what came after

aboutissement outcome

s'émouvoir to be upset

l'effort qu'elle exige the effort it requires

constance steadfastness

Valeurs qui comptent Values that count

plus qu'elles ne se laissent compter more than they let themselves be counted

Qu'advienne ici bas May there come here below

Ainsi soit-il Amen

Quel Dieu ? Le Créateur **incréé**, **inatteignable**, dont la réalité vaporeuse **plane** à l'horizon des steppes et **hante** le sommet du Fuji ? L'artiste **inégalé** dont les **cerisiers** de Kamakura ou les roses de Picardie sont la grâce ? L'ami préféré qui entend la confession du soir ? À chacun ses façons de voir l'invisible. Avec Dieu, **on commence par l'inconnu, on finit par l'intime**, ou bien on abandonne. **Comme nombre d'entre nous**, Pechkoff prononce son nom **sans savoir ce dont il parle**, mais **en ressentant** clairement l'**émoi** d'une mystérieuse évidence.

De sa prière, évidemment, on ne sait rien. Mais venant d'une nature si complexe, **façonnée** par une vie si **rude, on la devine** par contraste angélique et simple. L'individu sans famille prie pour les habitants de la terre, **ses semblables** dont bien peu lui ressemblent. Il se souvient du temps où il avait la grâce, cette grâce qui existe puisqu'il l'a rencontrée. C'était à la Légion. Il vivait parmi « ses hommes », capables du pire et du meilleur, **combinés de ciel et de boue**, eux aussi. Quand il les commandait en opérations, ce n'était pas le résultat obtenu qu'il saluait d'abord. Dans l'action commune, l'**amont** lui importait plus que l'**aval**, la source cachée plus que l'**aboutissement** superbe. Il continue à **s'émouvoir** du rêve dont cette action procède, de **l'effort qu'elle exige**, de la **constance** qu'elle organise, de la sainte fraternité qu'elle impose. Ou plutôt qu'elle devrait imposer. **Valeurs qui comptent plus qu'elles ne se laissent compter**, immatérielles, bénies du Seigneur. Le passé du légionnaire imprègne son oraison du soir. « **Qu'advienne ici bas** le consentement de chacun au contentement de tous, que règne dans la troupe des hommes la pieuse sérénité de l'âme. **Ainsi soit-il.** »

L'âme ? Autrement dit le secret de chacun, et le sien, le sien à lui, jalousement gardé, sauf devant Dieu dont il se sait, et plus encore se sent, l'insignifiante créature.

*
*\ *

traversée crossing

attente waiting

embarquement boarding

desserte service

trajets aériens trips by air

antipodes the far side of the world

internautes Internet surfers

voguent sail

sans encombre without a hitch

le subit et le virtuel the real and the virtual

Philéas Fogg hero of Jules Verne's *Around the World in 80 Days*

arborant sporting

traînant dragging

fourniment gear

faisant le pied de grue standing about

devaient se faire à had to get used to

vécu en commun experienced in common

similitude similarity

frequentations company kept

à force de tourner en rond by going around and around to such an extent

lassitude weariness

dégradaient les vis-à-vis *in effect:* eroded the quality of time spent together

quant-à-soi reserve

ascendant second in command

sourcilleuse fussy

égards considerations

il nous retenait he asked us to stay

appartenance membership

À cette époque, qui n'est pas si lointaine puisque ce fut la mienne, la distance imposait aux voyages des durées longues et incertaines. Un mois de **traversée** séparait Marseille de Yokohama, auquel s'ajoutait l'**attente** de l'**embarquement**. L'avion ne volait que le jour, la **desserte** d'Air France s'arrêtait à Saigon et il fallait changer de compagnie pour continuer plus loin. L'administration, d'ailleurs, n'autorisait les **trajets aériens** que sur motivation précise. L'Extrême-Orient était à l'extrémité de la terre. On a peine, aujourd'hui où les touristes peuplent les **antipodes**, où les **internautes** de bureau **voguent sans encombre** entre **le subit et le virtuel**, à se figurer les **Philéas Fogg** que nous fûmes, **arborant** chapeaux et cravates, **traînant** leur **fourniment**, embarquant, débarquant, **faisant le pied de grue** sur des quais exotiques. Une fois arrivés, ils étaient assaillis du sentiment qu'ils n'en sortiraient plus. Coûte que coûte, ils **devaient se faire à** cette vie nouvelle, irrémédiablement lointaine, à ces gens inconnus, à ce passé étranger, ce présent déplacé.

Il en résultait qu'au sein de nos ambassades de là-bas régnait une affectivité excessive. L'isolement **vécu en commun**, la **similitude** de situations singulières, suscitaient des sympathies que l'inéluctable fréquence des **fréquentations** risquait de rendre indiscrètes ou imbéciles, **à force de tourner en rond**. Irritation et **lassitude dégradaient les vis-à-vis**. Parfois, un souffle mauvais déprimait collectivement les **quant-à-soi**. Alors, l'**ascendant** du chef de poste, l'ambassadeur, était le recours.

D'une certaine manière, le général retrouvait dans ses fonctions civiles un peu du bonheur de sa vie militaire. Même paternité **sourcilleuse** de son côté, mêmes **égards** et regards du nôtre, même image d'une patrie lointaine mais qu'on croirait incarnée tant on met de zèle à la servir. Nous étions sa famille, lui qui n'en avait pas, nous lui rappelions sa « compagnie » et sentions sa sollicitude embusquée dans son silence. Après les dîners officiels, qu'il voulait nombreux à l'ambassade, **il nous retenait** pour un dernier verre. Nous lui cédions malgré le sommeil, afin d'affirmer notre **appartenance** à « sa maison ». Il redoublait de grâce et de gaieté. Mais la limite était claire qui prohibait la familiarité. Lui-même

ne s'y adonnait pas didn't indulge in it
maintien countenance
entretien discourse
écart deviation
agenda appointment book
colis parcel
Il ne l'avait pas ramassé He hadn't picked it up

désinvolture casualness
distraire entertain
truchement through (an interpreter)
Il s'était gavé He had stuffed himself with
noyaux pits
s'en avisa took notice
Qu'il les crache Let him spit them out
Je m'en expliquai I explained
soupière d'argent silver tureen
couvercle lid
giclée squirt
déridé cheered up
bordée torrent
goutte de salive princière drop of princely saliva
hasardeux left to chance
sur le perron on the steps (in front of the door)
s'entassèrent crowded into
cabriolet convertible
berline sedan
gémir le démarreur the starter to crank up

ne s'y adonnait pas, ni dans son **maintien**, ni dans son **entretien**, et il n'eût pas aimé que l'un d'entre nous se le permette. Au moindre **écart**, ou qu'il présumait tel, sa réaction était soudaine, parfois cruelle. L'épouse d'un des nôtres avait cru bon de lui apporter de Paris un **agenda** pour son bureau. Il n'avait pas même ouvert le **colis**. « Je n'accepte pas de cadeaux. » Le colis était tombé à terre. **Il ne l'avait pas ramassé**.

*
* *

Ce militaire aimait le cérémonial : l'Armée est, avec l'Église, la seule institution qui le pratique encore. Il tenait le plus grand compte de ce dont le Japon faisait son code de manières. Notre **désinvolture** l'offensait. Je me souviens d'un soir où les enfants de l'Empereur nous avaient accordé le privilège de les recevoir à l'ambassade.

L'ambassadeur nous avait distribué nos tâches. J'étais chargé de **distraire** l'un des princes. Conversant avec lui par le **truchement** d'un interprète, je remarquai que sa diction devenait inaudible. **Il s'était gavé** d'olives noires et tournait les **noyaux** dans sa bouche. L'aide de camp **s'en avisa** : « Son Altesse ne sait que faire des noyaux. » Je suggérai : « **Qu'il les crache**. » La réponse tarda, le temps d'une réflexion : « Oui, mais où ? » **Je m'en expliquai** au maître d'hôtel qui, aussitôt, apporta une vaste **soupière d'argent**, on ne pouvait faire moins, dont il souleva le **couvercle** avec solennité. En une **giclée**, le prince **déridé** se soulagea d'une **bordée** de noyaux et l'ambassadeur, qui s'était approché pour surveiller la manœuvre, eut l'honneur de recevoir sur son gilet une **goutte de salive princière**.

Quand vint l'heure du départ, elle aussi soigneusement fixée (rien dans le protocole n'est **hasardeux**), le personnel de l'ambassade se rangea **sur le perron**. Par une subtile délicatesse, nos illustres invités **s'entassèrent** dans un **cabriolet** de marque française, choisi dans l'arrière-cour du garage impérial, tandis qu'une **berline** américaine vide suivait par sécurité. Autre civilité, l'aîné des princes était au volant. En entendant **gémir le démarreur**, l'ambassade alignée

courba le dos bowed down

Nous en fûmes quittes We got away with

soubresaut jolt

derechef once again

cala stalled

nous étions pliés en deux we were doubled over (in laughter)

déférents deferential

hilares beaming

marque brand name (model)

grogna growled

Il m'en voulut He held it against me

de le prétendre that I so claimed

maquiller cover over

s'étaient prises d'amitié had become good friends

juchée perched

arrondi hems

A la suite de quoi Whereupon

éméché tipsy

suivant son habitude as was his habit

au pas de course at a run

noir comme l'anathème enough to kill, *literally:* black as the anathema
   (one excommunicated and given over to the devil and his angels)

sinistre somber

Pour détendre l'atmosphère To lighten the mood

laissez-moi vous tenter Allow me to tempt you

courba le dos comme un seul homme. Inutile, après deux bonds le moteur s'était étouffé. **Nous en fûmes quittes** pour nous redresser avec le même ensemble. Le prince pencha à la portière un visage épanoui puis redémarra. Nous nous prosternâmes à nouveau, la voiture fit un second **soubresaut** et, **derechef, cala**. À la troisième reprise, **nous étions pliés en deux**, **déférents** et **hilares**. « Une **marque** française, quelle honte ! » **grogna** l'ambassadeur. Quand enfin le cortège automobile eut franchi la porte, je l'assurai que la soirée avait été brillante. **Il m'en voulut de le prétendre** et, pour **maquiller** son humeur, me déclara : « Le champagne n'était pas frais. Vous le direz au maître d'hôtel. »

*
* *

Autre incident du même type : cette fois, le frère de l'Empereur, le prince Takamatsu, nous recevait à dîner. Il faut dire que Jacqueline ayant rencontré la princesse, les deux femmes **s'étaient prises d'amitié**. Il m'arrivait de surprendre chez moi l'Altesse impériale, **juchée** sur la table de la salle à manger, apprenant comment rectifier l'**arrondi** des jupes. **À la suite de quoi** elle adressait à Jacqueline des poèmes de sa composition, calligraphiés de sa main sur des feuilles légères comme le nuage d'été. Ces occurrences étaient un secret d'État que je ne divulguais pas.

Ce jour-là, notre chauffeur, passablement **éméché suivant son habitude**, avait perdu l'adresse du Palais. Nous étions très en retard. Il avait fallu traverser **au pas de course** les antichambres désertes où nous guidait un chambellan. Au fond de la salle, j'aperçus le regard de l'ambassadeur, **noir comme l'anathème**. Le repas, offert sur des tables basses qui provoquaient nos crampes, fut **sinistre**. Lorsque vint le dernier service, celui des fruits, Jacqueline, qui était à la droite du prince, lui suggéra : « Monseigneur, partageons cette jolie pomme. » **Pour détendre l'atmosphère**, elle ajouta : « En mémoire d'Ève, **laissez-moi vous tenter**.

— En mémoire de qui ?

— Ève, monseigneur.

L'avons-nous rencontrée Have we met her
défendu forbidden
Très-Haut the Lord above
ce qui convenait which was fitting
épluchée et croquée peeled and bitten into
faute commise mistake made
Comble d'embarras Full of embarrassment
nous prenions congé we took our leave
képi military cap

composite et composée heterogeneous and composed
souci de concern for
saugrenu nonsensical
incongru incongruous
farfelu weird
dépareillé odd-looking
le bienséant et le malséant what's becoming and what's unbecoming
étanche impenetrable
elle avait avoué she had confessed
La digue du cul title of a bawdy song performed by the Legionnaires
interdit stunned
offusqué offended
s'était ravisé had changed his mind
La polka des cœurs title of a popular song, comic relief to a tragic
    occurrence
canon de convenances canon of proprieties

— Ève, qui est-ce ? » Il fit un signe à l'aide de camp. « **L'avons-nous rencontrée** ? »

Quelle idée avait Jacqueline de prononcer le nom de notre ancêtre devant le fils d'Amateratsu, la Déesse mère, pour s'apercevoir qu'il ne la connaissait pas ? À chacun sa bible, et son fruit **défendu**. En ce temps-là, le Japon était loin, nous n'avions pas besoin d'Ève pour le savoir.

L'ambassadeur levait les yeux vers le **Très-Haut, ce qui convenait** à la circonstance. Je conseillai à l'aide de camp de consulter le Larousse. La pomme fut **épluchée et croquée** dans le silence d'une **faute commise. Comble d'embarras**, au moment où **nous prenions congé**, on ne retrouvait pas le **képi** du général. Où était-il passé ? Allez savoir !

*
* *

Telle était la nature **composite et composée** du général Pechkoff. À côté d'un esprit d'aventure qui dictait sa conduite, un **souci de** conformisme commandait ses manières. Il m'avouait : « Je n'aime pas le **saugrenu** », puis il rectifiait : « ou plutôt l'**incongru** », sans que j'ose lui demander la nuance qu'il mettait entre les deux termes, ni que je lui en propose un troisième, « **farfelu** ».

Cet homme **dépareillé** refusait l'excentrique. Entre ce qui se fait et ce qui ne se fait pas, entre **le bienséant et le malséant**, il traçait une frontière **étanche**, mais hésitait sur ce qu'il fallait mettre d'un côté ou de l'autre. Cela dépendait des amis dont l'exemple était sa loi. Lorsqu'il avait rendu visite à Jacqueline, qui venait de subir une opération douloureuse, et qu'il lui avait demandé si elle souffrait beaucoup, **elle avait avoué** : « Oui, beaucoup, mais pour me soulager, je vais chanter un air de la Légion, *La digue du cul*. » D'abord **interdit, offusqué**, l'ambassadeur **s'était ravisé**. C'était bien digne de Jacqueline, déportée, décorée, distinguée. Il concéda : « Je me souviens qu'après mon amputation, je me suis mis à chanter *La polka des cœurs*. »

Ainsi les deux refrains prenaient place côte à côte dans son **canon des convenances**.

Corée Korea

déclencher trigger

Cinq ans à peine Barely five years

Moscou a mis au point Moscow has developed

resserré ses liens strengthened its ties

envahir to invade

que contrôlent les Américains which the Americans control

De brasier en brasier From inferno to inferno

traînées de poudre auraient tôt fait d'incendier l'univers it wouldn't be long before the trains of gunpowder set the universe on fire

indéfectible confiance unfailing confidence

sagesse wisdom

en celle du destin in that of destiny

animer to animate

Il aime qu'on le croit visionnaire He likes for people to think he's a visionary

esprit mind

s'interdit l'alarme refuses to be alarmed

Ainsi le veut son instinct vital *in effect:* This is what his gut tells him

terme term of office

rompt son établissement *ends his tour of duty; literally:* breaks his formation

Et à une partie de lui-même And to a part of himself

*
* *

En cette fin d'année 1949, les périls s'accumulent. Les affaires de Corée, ce pays perdu à l'est du continent asiatique, vont-elles déclencher un conflit planétaire, abominable parce que atomique, entre les géants sino-russe et anglo-américain, hier solidaires ?

Cinq ans à peine et ce retournement ! **Moscou a mis au point** sa première bombe et **resserré ses liens** avec Pékin. La Corée du Nord, d'obédience communiste, se prépare à **envahir** la Corée du Sud, **que contrôlent les Américains. De brasier en brasier**, les **traînées de poudre auraient tôt fait d'incendier l'univers.** Beaucoup tremblent.

Une **indéfectible confiance**, non en la **sagesse** des hommes, mais **en celle du destin**, continue d'**animer** Pechkoff. Il l'affirme, en tout cas. **Il aime qu'on le croit visionnaire.** Son **esprit**, toujours en alerte, **s'interdit l'alarme. Ainsi le veut son instinct vital**, que conforte un vieux principe de savoir militaire. Bientôt il va quitter le Japon, il a fini son **terme.** Employant ce jargon administratif qui, pour une fois, dit bien les choses : il « **rompt son établissement** ». Il fait ses adieux à ses amis, ceux qui habitent cette partie du monde. **Et à une partie de lui-même.**

LAST PORTRAIT

DEAR ZINOVI

Time that takes me by the hand
Warns me that I am declining

VOLTAIRE,
to Mme du Châtelet

DERNIER PORTRAIT

LE CHER ZINOVI

Le temps qui me prend par la main
M'avertit que je me retire

Voltaire,
à Mme du Châtelet

sans tambour ni trompettes without drums or trumpets

partit à la retraite went into retirement

On croirait un refrain de Brassens *in effect:* It calls to mind a refrain of a song by Georges Brassens. Perhaps Huré is referring to "Les Trompettes de la renommée": Trompettes/De la Renommée,/ Vous êtes/Bien mal embouchées !

Il souriait He smiled

fidélissime very faithful friend

lui avait découvert found him

rue Lauriston quiet street in the 16th arrondissement in Paris, near the Bois de Boulogne

avait meublé had furnished

d'après ses goûts according to his tastes

femme de ménage cleaning woman

souris grise gray mouse

à demeure at home

enclos sans vue enclosure without a view

donnant sur la cour looking onto the courtyard

il campait sa liberté he pitched his camp of freedom

cadeau imprévu unexpected gift

retraite retirement

il n'y avait pas songé he hadn't dreamed of it

au terme de la mienne at the end of my own

aîné elder

semblable kin

désœuvrement idleness

J'ai mis du temps I've taken the time

scrupules scruples

vérités *in effect:* true nature

vos variétés *in effect:* the different aspects of your personality

je vous sais I've figured you out

s'approprie incorporates, dovetails

contraires opposites

alourdit burdens

pesant sur weighing on

qui cependant n'attend rien that meanwhile waits for nothing

désarrois confusions

ne vous enivrent plus don't intoxicate you anymore

Elles vous entretiennent They sustain you

XV

En 1950 le général Pechkoff, ambassadeur de France, **sans tambour ni trompettes, partit à la retraite. On croirait un refrain de Brassens.**

Il souriait devant ce nouvel épisode. Son **fidélissime** Roger Pignol **lui avait découvert** un duplex **rue Lauriston** que sa secrétaire, Mme Boué, **avait meublé d'après ses goûts.** Une **femme de ménage** assurait son service, deux heures par jour, petite **souris grise** dont l'obligation était d'être invisible. Il s'installait. « Chez moi, **à demeure,** est-ce possible ? » Dans cet **enclos sans vue, donnant sur la cour, il campait sa liberté.** Il abordait ce dernier chapitre avec la gaieté de l'enfant qui reçoit un **cadeau imprévu.** La **retraite, il n'y avait pas songé.**

Zinovi, j'éprouve de l'émotion à raconter cette fin de votre vie, moi qui suis **au terme de la mienne.** Nous venons ensemble de faire un long parcours. Vous étiez mon **aîné.** Vous êtes mon contemporain, mon **semblable,** nous sommes égaux par l'âge et le **désœuvrement. J'ai mis du temps** et des **scrupules** à découvrir vos **vérités, vos variétés.** Maintenant, **je vous sais.** Votre présent **s'approprie** ses deux **contraires,** qui sont le passé et l'absence. Longue durée qu'**alourdit** l'un et l'autre, **pesant sur** l'heure attentive et **qui cependant n'attend rien.** Je connais.

L'année de 1950 vous fait-elle revivre celle de 1923 ? Paris sortait alors d'un autre armistice. Il était celui de Salomé, c'est-à-dire de l'amour ; de la jeunesse, c'est-à-dire de vos rires. Mais aussi des déserts et des **désarrois.** La ville d'aujourd'hui, la vie d'aujourd'hui, **ne vous enivrent plus,** ne vous angoissent plus. **Elles vous entretiennent.**

191

se tenir au courant keep oneself informed

S'entassaient aussi Also piling up...were

noyer clair light walnut

tournant le dos à with its back turned to

Pour s'en éprendre To develop a love for it (*i.e., poetry*)

il faut aimer d'amour une langue you have to be in love with a language

il n'avait eu que le temps de s'en servir he didn't have time to do anything but use it

il les avait appris à l'école pratique d'une vie turbulente he learned them in the school of hard knocks

romans actuels current novels

ne l'attiraient guère hardly attracted him

lacunaire incomplete

recevoir host

recueillait collected

doléances complaints

les dominait tous stood above them all

se livraient à indulged in

dont ne filtrait que le murmure of which only a murmur leaked out

agrément attractiveness

vernissages art exhibit openings

piailleries mondaines society squeals

grouillantes swarming

où l'on piétine where you get trampled

manchot a one-armed man

serrer la main shake hands

colloques conferences

prendre une parole to speak

lui coupait discrètement la viande discreetly cut his meat for him

imputer attribute

dénigrement denigration

procès du prochain judgment of his fellow man

Il ne s'attardait guère He didn't linger long

à vive allure *here:* briskly

*
* *

Des jours qui se réservent à eux-mêmes… Ils étaient occupés d'abord par des lectures, surtout de revues ou de journaux. « Il faut **se tenir au courant** », disait-il comme une évidence, ce qui me faisait rire : au courant de quoi, et pourquoi ? **S'entassaient aussi** sur sa table, un grand bureau de **noyer clair tournant le dos à** une cheminée sans feu, des livres d'opinion, des mémoires. Pas de poésie. **Pour s'en éprendre, il faut aimer d'amour une langue.** Celle de son enfance, **il n'avait eu que le temps de s'en servir**. L'anglais, le français, l'italien, **il les avait appris à l'école pratique d'une vie turbulente.** Les **romans actuels ne l'attiraient guère**. « Ils sont insignifiants parce qu'ils choisissent des sujets petits. Vous comprenez, Gorki m'a fait lire *La Guerre et la Paix* quand j'avais quinze ans. » Puis, après un instant : « En littérature, concédait-il, je suis devenu **lacunaire**. »

Son réel plaisir était de **recevoir** ses anciens collaborateurs, dont il **recueillait** les **doléances** ou les satisfactions, comme autrefois quand il en était responsable. Il retrouvait des amis anciens, et d'abord Jean Chauvel qui, dans son cœur, **les dominait tous**. Les deux hommes **se livraient à** des confidences **dont ne filtrait que le murmure**.

Avec d'autres, il vérifiait l'**agrément** d'un commerce qui ne l'encombrait pas. Il allait au concert si on l'accompagnait, aux **vernissages** s'il n'y avait pas foule. Il détestait les **piailleries mondaines**, réceptions **grouillantes où l'on piétine : manchot**, il ne pouvait en même temps **serrer la main** et tenir le verre.

On ne le voyait pas dans les **colloques** qui font la joie des vieux diplomates et leur permettent de **prendre une parole** qu'ailleurs on n'écoute plus. Il dînait souvent en ville (sa voisine **lui coupait discrètement la viande** dans l'assiette), on faisait cas de sa compagnie bien qu'on ne pût lui **imputer** ni **dénigrement** du monde, ni **procès du prochain. Il ne s'attardait guère** après le repas, on le reconduisait chez lui. Chaque matin, descendant l'avenue Bugeaud jusqu'à la porte Dauphine, il parcourait **à vive allure** les allées du Bois, écoutait les

bue sans hâte   drunk without haste
bienfaits   benefits

pouvoir   power
ne faiblissait pas   didn't weaken
l'exercer   to exercise it
tracé sinueux   sinuous course
jadis   in the past
balançait   wavered
méfiance   mistrust
exigence   demand
n'entrave   hinder
Peut-on réclamer   Can one demand
dispense   exemption
Quel homme ne s'interroge   What man doesn't wonder (about it)
pour éviter   to avoid
coups de cœur   infatuations
On se trompe   They are wrong
subissait   *here:* experienced
emprises   *here:* the enchantment
seul concevable   only (one) conceivable
épreuve   trial
redoutée   feared
inéluctables   inevitable
êtres   people
s'enfièvre   gets excited
un esprit qui s'affaire et un maintien qui s'affermit   a mind that keeps
   busy and a posture that gets strengthened
procédé   practice
en suite et fin   at the tail end of
relance   revival

oiseaux, surveillait la naissance ou la chute des feuilles, souriait aux enfants qu'il aimait voir dehors et aimait moins chez lui. Au retour il téléphonait : « Ah, que l'air était bon aujourd'hui. » Il découvrait une vie quotidienne dont il goûtait la tasse de thé, **bue sans hâte**, à la fin d'un long jour… Telles étaient les occurrences dont il essayait de croire qu'elles lui apportaient les **bienfaits** de son âge.

*
* *

Son **pouvoir** de séduction **ne faiblissait pas**. Parlons-en, car il n'oubliait pas de **l'exercer**. Les amitiés féminines ont toujours été vivantes et variées dans le **tracé sinueux** de son existence. Son cœur battait aussi fort que **jadis** et **balançait** autant. Mais toujours la **méfiance**, je ne sais quelle instinctive précaution, surveillait ses choix, de peur qu'une **exigence n'entrave** sa liberté. **Peut-on réclamer** en même temps la dévotion et la **dispense**, la passion et la permission ? **Quel homme ne s'interroge** ? Zinovi, **pour éviter** la réponse, oubliait la question.

La vieillesse, dit-on souvent, n'est plus le temps des **coups de cœur**. **On se trompe**. Zinovi, en tout cas, **subissait** toujours leur impact bienvenu. Sa nature était ainsi faite et l'expérience en avait fortifié les dispositions : les **emprises** de la tendresse lui apportaient le remède, et le **seul concevable**, à la pathétique **épreuve** de solitude qu'il avait constamment **redoutée**, et souvent endurée. Il les accueillait, ces subtils attachements, d'autant mieux que la fuite des années l'approchait des abandons **inéluctables**. Au lieu d'affaiblir ses inclinations, l'âge affirmait leur penchant. Je prends parti. On n'a pas assez noté que les **êtres** dont le cœur **s'enfièvre** ont naturellement **un esprit qui s'affaire et un maintien qui s'affermit**. Ce sont causes et conséquences. Est-il meilleur **procédé**, **en suite et fin** d'un long parcours, que d'en prolonger l'ardeur par une **relance** des affections ? Je n'en connais aucun qui soit plus prompt et plus sage. Comme ils se privent, ceux qui l'ignorent ou s'y refusent ! J'entends la voix de Zinovi se joindre à celle du poète : « Au moins, j'ai aimé. »

Au risque d'être indiscrets, soyons francs. Il arrivait qu'elles fussent

élues   chosen ones (lovers)

sujétion   constraint

imperium   controling power

embrouille   mix up

gronde   scolding

Il était habile à   He was skilled at

se dépêtrer   extricating himself

avéré   proven

Au surplus   What's more

il ne se privait guère   he did not exactly deny himself

sauvaient   saved

froisser   offending

tout entier de bonne foi   always [acting] in good faith

effusions   effusiveness

délaissement   neglect

ne valait que s'il était chargé

nom   name (of a woman friend)

jusque-là   up until then

fréquent dans son répertoire   *in effect:* frequently mentioned

plongeait dans son silence   plunged into his silence

On devinait la rupture   We guessed (there had been) a break-up

belles infantes   beautiful infantas/aristocrats

cessa tous rapports   ceased all contact

Elle s'était postée   She had stationed herself

trottoir   sidewalk

en larmes   in tears

spectre croisant une ombre   ghost passing a shadow

jamais il ne se fût expliqué   never did he give any reason

ne sont significatives de rien   don't mean anything

combien   *here:* to what extent

avatars   metamorphoses

lassante   tiresome

si elle ne va pas de soi, elle s'en va   if it doesn't come naturally, it
   disappears

s'il a sombré   *in effect:* if he had declined dramatically

naufrage   shipwreck; *here:* descent

seules pleuraient les disparues   only the missing (women) were crying

il excluait tout aveu pour hier, et tout vœu pour demain   he dismissed
   all his remorse for the past and all his hopes for tomorrow

plusieurs à l'occuper dans le même temps, ses chères **élues**. Évitait-il ainsi la **sujétion** d'une seule, dont il craignait toujours l'**imperium** ? Mais ne risquait-il pas l'**embrouille** ou la **gronde**, ou les deux ? **Il était habile à se dépêtrer.** Son culte **avéré** du mystère lui servait d'alibi. **Au surplus, il ne se privait guère** des petits mensonges qui **sauvaient** son embarras sans **froisser** la vérité de son caractère : il était **tout entier de bonne foi** dans chacune de ses **effusions**. On eût dit que son cœur, arme de défense contre le **délaissement, ne valait que s'il était chargé.**

Aussi bien, tout à coup, un **nom jusque-là fréquent dans son répertoire plongeait dans son silence. On devinait la rupture.** Une de ses **belles infantes** me raconta qu'après une longue liaison, inexplicablement, Zinovi **cessa tous rapports.** Plus de lettres, ni de téléphone. **Elle s'était postée** sur le **trottoir** devant son appartement, et l'avait attendu, **en larmes.** Il était passé devant elle sans un regard, **spectre croisant une ombre.** Elle ne comprenait pas. De toute manière, **jamais il ne se fût expliqué.**

On me dira que ces altérations du sentiment **ne sont significatives de rien.** Ce n'est pas mon avis. Nous avons vu **combien** les **avatars** étaient, chez Zinovi, partie de sa nature. En vérité, pourquoi le cœur se détache-t-il ? Il le fait suivant un secret qu'il ne confie pas. Le charme est rompu parce qu'il était un charme. La fidélité est **lassante** lorsqu'elle se force. **Si elle ne va pas de soi, elle s'en va.** Le merveilleux bonheur, hier indispensable, ne l'est plus ; à distance on le voit différent. C'est-à-dire qu'on l'aperçoit mieux et qu'il apparaît moins bien. Puis on cesse d'y penser. On ne se demande même pas **s'il a sombré.** Pour Zinovi, le **naufrage** était rapide, total. Un *Titanic.* Mais **seules pleuraient les disparues.**

*
* *

Son habitude soupçonneuse lui dictait une réserve qu'il appliquait aussi à sa vie quotidienne, emploi discret d'un temps qui ne regardait personne, et dont **il excluait tout aveu pour hier, et tout vœu pour demain.** « Vivons en paix, vivons cachés. » Il écoutait le précepte.

devinette riddle

OVNI = *objet volant non identifié:* UFO

si détaché, si attachant so distant and yet so lovable

abri shelter

bravé defied

Balthus Balthazar Klossowski de Rola (1908–2001), 20th-century French-Polish painter whose work was figurative rather than abstract

Cependant Nonetheless

bien qu'il n'y cédât point although he would not give in

sa retraite n'était pas...repli his retirement wasn't entirely a withdrawal

beaux jours spring

petites pommes petite women

longues tiges tall women

il penchait he preferred

hors du commun out of the ordinary

allure bearing

rang station (in society)

inaperçues unnoticed

ne dédaignait pas didn't mind

chuchotaient whispered

égéries masterminds

souleva le rideau lifted the curtain

s'empara de sa main took his hand

lui baiser la bouche kissing him on the mouth

Confus Embarrassed

ravi delighted

Je surpris dans le public I overhear in the crowd

Fit-il said he

nul n'était no one was

à certains égards in certain respects

vaniteux conceited

capable de se démontrer capable of showing off

fat conceited

Mais il laissait sans déplaisir fabuler les curiosités sur son compte. Parmi les jeux de son entourage figurait la **devinette** : « En substance, qui est Zinovi, cet **OVNI** parisien, cet électron libre, **si détaché, si attachant** ? » Le secret renforçait son attrait. L'ombre était son **abri**, il s'y défendait, mais n'était pas mécontent d'y être **bravé**.

Anne, une amie qui habita longtemps Rome où elle fréquenta **Balthus**, me disait qu'elle avait constaté chez le peintre une disposition similaire. « Il s'arrêtait au bord des confidences qu'on l'invitait à faire. **Cependant, bien qu'il n'y cédât point**, il appréciait l'invitation. » Zinovi, également, voyait dans les sollicitations une preuve de sollicitude, dont, en dépit de son refus, il se réjouissait : ainsi **sa retraite n'était pas, tout à fait, un repli**.

*
* *

Quand venaient les **beaux jours**, il s'absentait. C'était pour Londres, New York, où l'attendaient des amis qu'il ne nommait pas. À moins que ce ne fût l'Italie, la baie de Naples aux vestiges sacrés. Il ne partait pas seul et on le devinait. S'il est vrai que les femmes se répartissent en deux groupes, les **petites pommes** et les **longues tiges**, **il penchait** pour les secondes, souvent plus grandes que lui. Il aimait qu'elles fussent **hors du commun** par leur **allure**, leur **rang**, leur notoriété et ne passent pas **inaperçues**. Lui-même **ne dédaignait pas** d'être reconnu. « Vous appellerez Excellence le monsieur manchot qui m'accompagne », **chuchotaient** au maître d'hôtel les plus habiles de ses **égéries**. Alors il trouvait délectable le menu qu'il offrait. Il nous avait, Jacqueline et moi, conviés dans un cabaret russe. Lorsqu'il **souleva le rideau** de l'entrée, l'orchestre fit procession vers lui, l'entoura de ses violons et l'escorta jusqu'à la table. La chanteuse **s'empara de sa main** avant de **lui baiser la bouche. Confus, ravi**, il se laissa faire. **Je surpris dans le public** une question : « Quel est cet important personnage ? » Le serveur répondit : « Un prince. » Je crois qu'il entendit. « Ah, la bonne soirée ! » **fit-il** en partant.

Cependant, **nul n'était, à certains égards**, moins **vaniteux**, moins **capable de se démontrer**. Pechkoff était trop fier pour être **fat**. Il

artificiers *here:* fakes
minaudant simpering
mousseux sparkling
entremise intervention
Se mettre en valeur To boast/show oneself to best advantage
était la preuve qu'on en manquait was the proof one was lacking

lui avait remis had pinned on him
insignes insignia
discours speech
qu'il avait prononcé he had given
dépeint depicts
je serais tellement ému I would be so moved
je suis confus I am embarrassed
recompense reward
La France n'a pas à me récompenser France doesn't have to reward
    me
m'acquitter *here:* to be worthy
bonté kindness
utilement usefully
certitude de la clarté certainty of clarity
gratitude très émue an awkward expression, he means "moved by
    gratitude toward you"

avouait : « Je n'aime pas les **artificiers**. » Jacqueline avait lancé un jour : « Les gens bien savent qu'ils ne sont rien. » Il avait retenu le mot et l'avait répété en fermant les yeux. Je me souviens de l'épouse d'un ambassadeur **minaudant** devant lui : « Vous qui avez joué un si grand rôle… » Il l'avait interrompue : « Vous faites erreur, madame, ce n'est pas moi. » Il écoutait d'un air inimitable les récits **mousseux** des collègues qui s'attribuaient une **entremise** dans les imbroglios du monde : « Cela ne m'étonne pas de vous », puis il tournait le dos. **Se mettre en valeur était la preuve qu'on en manquait.**

*
** **

En octobre 1952, le président de la République **lui avait remis** les **insignes** de sa nouvelle et ultime dignité : la grand-croix de la Légion d'honneur. Nous étions à New York. Je reçus par la poste le **discours qu'il avait prononcé**, et qui le **dépeint** si parfaitement :

« Je savais bien que **je serais tellement ému** que je ne pourrais pas dire ce que je voudrais à cette occasion, tant **je suis confus** vis-à-vis de moi-même de recevoir cette suprême distinction.

« D'autres disent : **récompense. La France n'a pas à me récompenser.** C'est moi qui ne sais pas comment **m'acquitter** de toute sa **bonté**, de toute son indulgence pour mes très modestes services. C'est moi qui dois tout à la France. La France m'a adopté parmi ses fils, la France m'a permis de vivre **utilement** ma vie. La France m'a inspiré et m'a donné ce grand bonheur, le grand honneur de Servir. Et celui qui sert la France sert en même temps tout ce qu'il y a de juste, tout ce qu'il y a de grand. La France donne à celui qui la sert la **certitude de la clarté**.

« La générosité est l'essentiel dans le caractère du Français et partout où la France est allée, dans tous ces pays qui ont connu par elle le bonheur de la civilisation, le nom de la France est prononcé avec gratitude et souvent avec émotion.

« Permettez au plus humble des serviteurs du pays, devant vous, Monsieur le Président, d'exprimer ma **gratitude très émue**…

Drapeau sous les plis duquel Flag under the folds of which

En vous relisant Rereading your words
je vous vois reculer I see you move backward in time
lointaine distant
farde blurs
fastueuse luxurious
anoblie ennobled
vous a ouvert opened to you
en devenant des nôtres while becoming one of our own
m'infuse infuses in me
à petits coups in little sips
enivrante intoxicating
vieille cuvée old vintage
enseigne sign
désuet obsolete
demeurons live
héberge, dans son asile, notre exil shelters, in its sanctuary, our exile

retour aux affaires return to power
l'avait profondément réjoui had greatly cheered him
figure tutélaire guardian figure
il avait accroché *here:* he had hitched
saint-cyrien graduate of the Saint-Cyr military academy
en l'air empty words, just to talk
Sans se targuer Without boasting
si haute stature (a person of) such a high station
antinomies contradictions

« Et quand le dernier moment de ma vie terrestre viendra, j'aurai devant moi le **Drapeau sous les plis duquel** j'ai plusieurs fois offert ma vie. »

Ce langage n'est plus en usage, mon général. **En vous relisant, je vous vois reculer** dans une **lointaine** époque, celle d'hier, dont la légende, déjà, **farde** l'image. La France y figure, majestueuse dans son Empire, **fastueuse** dans son Europe, patricienne dans l'univers, **anoblie** par ses manières d'être et ses façons de faire. Vous l'avez choisie pour ces distinctions qui la faisaient grande. Elle vous a admis sans embarras, honorant vos mérites, et **vous a ouvert** cette Légion où vous restiez vous-même **en devenant des nôtres.**

Mon affection **m'infuse** votre pensée. Il me semble qu'assis côte à côte comme nous l'étions sur les tabourets de Meknès, nous buvons **à petits coups**, sans mot dire, une liqueur **enivrante**, **vieille cuvée** qui a demandé son temps de bouteille, précieuse et cependant commune, drogue douce à l'**enseigne** du temps qui passe et qui est passé : le lyrisme **désuet** de la nostalgie.

Meknès. La petite barmaid dénommée « Bout de sein ». Sa voix. « Il a failli mourir pour la France, quelque part ça m'inspire. » Que les temps sont changés ! Vous êtes resté le même. Nous ne changerons plus. L'époque où nous **demeurons** avec nos souvenirs **héberge, dans son asile, notre exil.**

*
** **

Le **retour aux affaires** du général de Gaulle **l'avait profondément réjoui**, et de quelque façon, rassuré. L'ancien chef de la France libre était sa **figure tutélaire**, le génie protecteur de la nation à laquelle **il avait accroché** son destin. Plus profondément, il admirait que ce **saint-cyrien** provincial ait choisi l'aventure, quand il le fallait, pour le temps qu'il fallait, afin que fût rétabli, vite et bien, l'ordre des choses. En matière d'aventure, Pechkoff ne parlait pas **en l'air. Sans se targuer** d'une familiarité avec une **si haute stature**, il se sentait à son abri. Il en oubliait certaines **antinomies**, vis-à-vis de l'Amérique

Rodrigue hero of Corneille's *Le Cid*, torn between love and honor
ma foi my gracious
N'empêche be that as it may
bons côtés good side
par égard out of respect
évincé ousted
elle tenait à l'en avertir avant que le monde ne l'apprenne it wanted to warn him about it before the world found out
flatté flattered
qu'on fasse appel à lui that he was called upon (to do it)
broutille trifle
obsèques funeral
congédiés discharged, retired
retraite retirement
blessante hurtful
que diable damn it
néanmoins nevertheless
arrière-goût aftertaste
amertume bitterness
l'avaler swallowing it
lui valait earned him
égards consideration
allégrement happily
sinistre unpleasant
il eut droit he was entitled
il constata he noted
entama broached
déconvenue disappointment
soupira sighed
Il faut savoir céder son tour You've got to know when your turn is up

tohu-bohu confusion, commotion
cahin-caha difficulties getting about
ses imprévus et ses impromptus his unexpected [difficulties, expenses]
coûteux costly

par exemple. Zinovi gardait pour elle les yeux d'un **Rodrigue**, le général de Gaulle, **ma foi**, non. **N'empêche**, ils avaient en commun l'essentiel : aimer la France, non pour ses **bons côtés**, mais pour ses grands.

En janvier 1964, le général Pechkoff recevait la mission de se rendre à Taipeh, capitale de Formose, et de prévenir le maréchal Tchang Kai-chek du changement de notre politique. La France reconnaissait le fait accompli de l'installation communiste sur le continent chinois, et **par égard** pour le chef d'État **évincé**, vieux compagnon de guerre, **elle tenait à l'en avertir avant que le monde ne l'apprenne.**

À l'évidence, Pechkoff était **flatté qu'on fasse appel à lui.**

Ce n'était pas la première fois. On l'avait déjà envoyé en Australie, et en je ne sais quel pays d'Amérique latine, pour une festivité officielle, une inauguration, une **broutille**. Il ira bientôt représenter la France aux **obsèques** de MacArthur : il s'apercevra que ses amis d'Amérique ne l'ont pas oublié et écoutent ses jugements comme autrefois. Nous sommes tous ainsi, nous les serviteurs poliment **congédiés** de l'État. Notre **retraite** nous semble prématurée et **blessante ; que diable**, nous étions encore bons à quelque chose ! Pechkoff, plus résigné que d'autres, connaissait **néanmoins l'arrière-goût** de cette **amertume** et la difficulté de **l'avaler**. Sa double qualité de général et d'ambassadeur **lui valait** des **égards** auxquels son vieil âge était sensible.

Il partit donc **allégrement** pour cette **sinistre** mission. À Taipeh où j'avais moi-même ouvert le poste, **il eut droit** à un banquet de gala avec le vieux maréchal, dont **il constata** avec intérêt que la santé était aussi bonne que la sienne. Puis on **entama** le malheureux sujet. Le Chinois exprima sa **déconvenue**, le Français **soupira**. C'était la vie. **Il faut savoir céder son tour.**

*
* *

Dans le **tohu-bohu** de Paris et ses **cahin-caha, ses imprévus et ses impromptus**, désordres toujours **coûteux**, comment Pechkoff

bourse finances
fallut-il batailler he'd even had to struggle
montant total
insolite unusual
comportait *here:* called for
exégèses interpretations
n'était qu'honorifiques were only honorary
dépourvues *here:* without
se lisait one could read
Je me demande I wonder
s'ils reconnaissent if they acknowledge
caporal corporal
plaisantait-il he joked
sans aigreur without bitterness
Nous fûmes un certain nombre à nous en soucier There were a few
    of us who cared about it
subalternes low-ranking
sommets *in effect:* the highest levels
Devinez qui appelait Guess who was calling
de sorte qu'il ne comptait pas so as a result he didn't count
Convier des amis To invite friends over
descendre dans to stay in
façades à colonnes columned facades
Comment aurait-il pu en économiser le plaisir ? How could he have
    saved up pleasure?
je mourrai I will die
il quittait he left

gérait-il sa **bourse** ? Il n'avait de ressources que celles de sa pension. Encore **fallut-il batailler** pour en obtenir le **montant**. Pas lui, il en était incapable, mais un expert bénévole. La carrière **insolite** du général **comportait**, sur le plan financier, d'étranges **exégèses**. Les bureaux prétendaient que ses promotions **n'étaient qu'honorifiques** et **dépourvues** d'effet budgétaire. Ils exhibaient des documents signés d'autorités provisoires, où **se lisait** qu'il était nommé à titre temporaire, ou fictif, pour la durée d'une mission. « **Je me demande s'ils reconnaissent** que j'ai été **caporal** », **plaisantait-il sans aigreur. Nous fûmes un certain nombre à nous en soucier.** Pour convaincre ces échelons **subalternes**, il fallut alerter les **sommets** de l'État. « Un soir, racontait Zinovi, le téléphone a sonné chez moi. **Devinez qui appelait** : le général de Gaulle. Il m'a demandé si tout allait bien. Je n'ai pas compris, j'ai répondu oui. Qui lui avait parlé de moi ? »

Pechkoff ne savait pas compter, **de sorte qu'il ne comptait pas. Convier des amis**, partir en voyage, **descendre dans** les palaces d'autrefois aux **façades à colonnes**, y commander un certain champagne, avant dîner, au bar, cela il le savait. **Comment aurait-il pu en économiser le plaisir ?** Il m'avait dit : « J'ai calculé, **je mourrai** un certain hiver que je ne vous dis pas. Alors, je n'aurai plus besoin de rien. »

L'année suivante **il quittait** le monde, en novembre.

fugaces fleeting
comme il faut proper
baroudeur firebrand
sensible sensitive (to)

dont il demandait des nouvelles sans toujours les écouter of whom
  he asked for news without always listening to them
Elle avait...rejoint l'autre monde *in effect:* She had died
tentures wall hangings
coussins pillows
En fin de compte In the final analysis, At the end of the day
Herbert Wells H.G. Wells (1866–1946), English writer best known
  for his science fiction. He was a notorious womanizer.
Fidèle au souvenir de Gorki Faithful to Gorky's memory
elle déclarait vouloir mourir à Sorrente she declared she wanted to
  die in Sorrento

qu'ils redoutaient that they feared
souhaitaient à la fois wished for at the same time
au bout d'une heure at the end of an hour
le visage (their) face(s)
et aussi froid and just as cold
gardait dans sa valise was keeping in his suitcase
La pensée de s'en séparer The thought of being separated from them
ils ne s'étaient pas entendus they hadn't gotten along

208

XVI

Je rattrape les images, même **fugaces**, de sa fin. Je le revois à Londres. Il aimait notre petite maison de Chelsea dont il disait qu'elle était « **comme il faut** » parce qu'il avait appris qu'un lord anglais l'avait occupée avant nous. Le fils de Gorki, le frère de Sverdlov, le **baroudeur** de la Légion, était **sensible** aux vanités bourgeoises.

Londres. C'était le poste où Jean Chauvel était ambassadeur. Dans la résidence de Kensington, il retrouvait une famille qui était presque la sienne, Diane l'épouse, Patricia la fille aînée, fiancée bientôt à Pierre Schoendoerffer, les enfants **dont il demandait des nouvelles sans toujours les écouter**. Londres. Salomé y avait habité. **Elle avait**, je crois, **rejoint l'autre monde**. Par contre, la baronne Budberg, la dernière amie de Gorki, s'y était installée parmi ses **tentures** et ses **coussins**. **En fin de compte** (si l'on ose dire), elle avait ouvert son cœur à **Herbert Wells**, l'auteur vieilli de *La Guerre des mondes*. **Fidèle au souvenir de Gorki, elle déclarait vouloir mourir à Sorrente**.

Un jour, Jean Chauvel les avait réunis, Zinovi et elle, et leur avait réservé un bureau à la Résidence, à droite de l'entrée, pour un tête-à-tête **qu'ils redoutaient** et **souhaitaient à la fois**. On les avait vus sortir **au bout d'une heure**, **le visage** blanc comme neige, **et aussi froid**. Ils avaient discuté des archives de Gorki laissées en Italie et des lettres que Zinovi **gardait dans sa valise**. **La pensée de s'en séparer** lui faisait mal. Et pourtant… Mara Budberg était insistante. C'est pourquoi **ils ne s'étaient pas entendus**.

Nous étions plusieurs à constater There were many of us who noticed

dorénavant henceforth

le rassérénait made him serene again

sachant que knowing that

brume mist

voilait veiled

tandis que ses yeux brillaient while his eyes were shining

Ce rebours le rajeunit This backward movement is making him young again

il réveillait he awakened/stirred up

peuplé d'ombres populated by ghosts

le rejoindre to join it

Ainsi en est-il de nous So it is with those of us

approchons du terme draw near the end

nommons call

revenants ghosts

ermitage retreat

où s'achevait sa vie where his life was coming to a close

Non qu'il s'adonne Not that he is giving in to

retrouvailles reconciliation

aparté private conversation

revêche surly

Il se distinguait de nous sans vouloir nous perdre He set himsaelf apart from us without wanting to lose us

il nous faisait signe he beckoned to us

Thérapia Tarabya, a town in Turkey on the Bosporus where several European diplomatic missions once had summer quarters

détrempées sodden

J'avais établi un programme I had set out an agenda

digne de worthy of

hôte guest

inoubliables altesses unforgettable highnesses

Yali des Ostorog waterfront mansion once owned by a Polish count who was a legal adviser during the Ottoman Empire

maintien posture

cambrure spinal curvature

en tournée on tour

*
* *

Nous étions plusieurs à constater qu'il avait notablement changé sur un sujet essentiel : l'évocation de son passé russe. En certaines circonstances on l'entendait **dorénavant** s'y référer. L'évolution du régime, à Moscou, **le rassérénait**. « Avant de mourir, je verrai… » Il s'arrêtait là, **sachant que** les prophéties ne sont vraies que si elles sont vagues. La **brume voilait** sa vision **tandis que ses yeux brillaient.**

Certains déclaraient : « **Ce rebours le rajeunit**, il y retrouve son enfance. » Je crois plutôt qu'**il réveillait** le cimetière **peuplé d'ombres** qui l'invitaient à **le rejoindre. Ainsi en est-il de nous** qui **approchons du terme** et **nommons** les visages des morts. Mais la voix des **revenants** lui parlait en russe et il répondait de même. Dans son **ermitage** parisien **où s'achevait sa vie**, il revoyait un commencement qui ne ressemblait pas au nôtre. **Non qu'il s'adonne**, poussé par l'âge ou par la mode, à une « recherche d'identité » qui, sous prétexte de **retrouvailles** avec les origines, provoque un **aparté revêche** et taciturne. Tout au contraire. **Il se distinguait de nous sans vouloir nous perdre**, car dans le même temps **il nous faisait signe**. Il appelait notre compagnie.

Dès que je fus nommé en Turquie en 1960, il annonça sa visite. Ai-je raison ? Je crois que ce voyage fut pour lui important. Il le fut pour Jacqueline et moi. Nous habitions un ancien palais, à **Thérapia**, qui était autrefois la résidence d'été. Le parc, les bâtiments, ses escaliers de pierre et ses vastes pièces aux boiseries **détrempées**, évoquaient les grandeurs séculaires. En l'absence de l'ambassadeur j'étais chargé d'affaires. **J'avais établi un programme digne de** mon **hôte**. Il avait été reçu par le ministre des Affaires étrangères, Selim Sarper, diplomate de l'ancienne école, connaissant l'Europe et ses survivances. Il avait dîné avec deux **inoubliables altesses**, filles du dernier souverain, dans le **Yali des Ostorog** à Kandilli sur le Bosphore, et après leur départ, avait assisté à une discussion tardive pour savoir laquelle des deux avait le **maintien** le plus impérial et la **cambrure** la plus troublante. La Comédie-Française, **en tournée** à Ankara, avait joué *Bérénice*. Au

avait bondé sur la scène had leaped onto the stage

s'était blottie dans les jupes had nestled in the skirts

Je lui savais gré I was grateful for

Claude-Alexandre, comte de Bonneval (1675–1747) French officer who joined the army of the Ottoman Empire and converted to Islam. In an attenuated way, his career resembled that of Pechkoff, who changed nationalities, allegiances, and religion.

ravissante mosquée beautiful mosque

repose has been resting

pour finir to end up

Pacha à trois queues pasha with three tails, a designation given to high-ranking army officers and provincial governors in the Ottoman Empire. The term refers to the three horse tails that were carried before the official, indicating his status.

nous attabler to sit at a table

sous la treille under the arbor

allocution speech

bravoure bravery

En tout lieu In any place

se montre shows itself (to be)

il se couche dans ses dorures *in effect:* it sets in the midst of its golden rays

apparat pomp

faste splendor

Galata northern district of Istanbul, known as the "European" part of the city

sérail seraglio, palace of a sultan

rive de l'Asie shore of Asia

leur ton et leur teint their tone (of the moment) and their tint (of the landscape)

on ne pouvait se soustraire à leur magie one could not escape from their magic

crépuscule twilight

soupirait sighed

comme s'il s'apparentait à as if he resembled

beau roman wonderful book

Elle le tutoyait She was using the familiar *tu* form with him

Cela devait arriver It was bound to happen

Je te ferais souffrir I would make you miserable

Tu ne le mérites pas You don't deserve it

dernier acte la petite Laetitia, ma fille, **avait bondi sur la scène**, et pointant du doigt le beau Titus, **s'était blottie dans les jupes** de Bérénice : « Oncle Zino, dis-moi pourquoi il ne l'aime pas ? »

Ainsi les imprévus et les attendus de ce séjour s'étaient assortis pour le distraire. **Je lui savais gré** de sa bonne humeur. Il avait moins apprécié ma suggestion de visiter la sépulture du **comte de Bonneval**, dans la **ravissante mosquée** où elle **repose** depuis trois siècles. Il connaissait la carrière de ce mauvais garçon, sujet du roi de France, passé au service de l'Empereur **pour finir** chef de l'artillerie du Sultan, « **Pacha à trois queues** », converti à l'Islam. Non. S'incliner sur la tombe de cet aventurier ne lui disait rien. « Il a été trop loin », estimait-il.

*
* *

Nous allions souvent **nous attabler** dans un petit café de la Corne d'Or, sur la terrasse et **sous la treille**. Ce matin, il avait remis à Jacqueline les insignes d'officier de la Légion d'honneur, distinction rare, à l'époque, pour une femme. Il avait fait une **allocution** et parlé de **bravoure**.

En tout lieu le soleil, grand monarque, **se montre** superbe quand **il se couche dans ses dorures**. Mais à Istanbul l'**apparat** s'enrichit de **faste**. De son bras unique dont le geste paraissait doublement large, Zinovi désignait **Galata**, les Mosquées, le **sérail**, et plus loin de l'autre côté de l'eau, la **rive de l'Asie**, beige et bleue. L'instant et le paysage conjuguaient **leur ton et leur teint, on ne pouvait se soustraire à leur magie**. « Ah le beau **crépuscule, soupirait** Pechkoff, **comme s'il s'apparentait à** cette fin du jour et nous était reconnaissant de la lui offrir.

— Aujourd'hui, dit Jacqueline, tu ne peux rien me refuser. Raconte ton histoire. Tu inspirerais un **beau roman**. J'ai envie de l'écrire. Tu m'aiderais ? »

Elle le tutoyait. Cela devait arriver.

« Ce serait trop long. **Je te ferais souffrir. Tu ne le mérites pas.**

— Ne fais pas la coquette. »

Il se grattait le haut du crâne He scratched the top of his head

je ne sais pas toujours ce qui m'est arrivé I don't always know what
  has happened to me

J'en ris parfois I laugh about it sometimes

bouche cousue lips sealed

comme je m'y attendais as I expected

souriante smiling

tankers ships sailing through the Strait of Bosporus

à vitesse réduite at reduced speed

sillage wake

poupe stern

Ils battaient pavillon soviétique They were flying the Soviet flag

On en voit des dizaines You see dozens of them

souffle du Mal breath of Evil

Ils méprisent l'homme They distrust (the common) man

la conjurer to exorcise it

cercueil coffin

Quelle honte ! What a disgrace!

Il était saisi (de) He had been seized by

imprécation curse

avait effacé had erased (from his memory)

coupure break

foi faith

bonne foi good faith, sincerity

s'appareillaient were matched up

pourfendeur scourge

compromissions compromises, deals

soumissions submissions

tournants turning points

au terme du bilan in the final analysis

Je me gardais de I kept myself from

je me défendais de I forbade myself

Décidément, il acceptait tout. **Il se grattait le haut du crâne** comme je l'avais vu faire quand il était perplexe. « Comment raconter un miracle ? Moi-même, **je ne sais pas toujours ce qui m'est arrivé**, et encore moins pourquoi. **J'en ris parfois**, quand je suis seul.

— Ce sont tes premiers temps qui me fascinent. En Russie tu as encore de la famille ?

— Ça, je ne te le dirai pas. »

Il était lui-même, **bouche cousue, comme je m'y attendais**, mais cette fois **souriante**. Des **tankers** silencieux défilaient le long des côtes **à vitesse réduite**, traçant un long **sillage** qui s'écartait de leur **poupe. Ils battaient pavillon soviétique.** « **On en voit des dizaines**, tous les jours, dis-je.

— La Russie, j'y pense souvent. C'est une grande nation, un peuple brave. Mais ceux qui la dirigent sont des monstres. Ils sont l'esprit du Diable, le **souffle du Mal**. Je le dis parce que je les ai connus. J'ai passé des nuits avec eux. **Ils méprisent l'homme.** Comment mépriser ceux que l'on commande ? Et en même temps les redouter ? Je n'ai jamais compris. Gorki non plus ne comprenait pas. Il ne pouvait leur pardonner. Gorki était un saint. Ils ont désiré sa mort et, pour **la conjurer**, ils en ont fait une célébration, Staline a porté son **cercueil. Quelle honte !** »

Il était saisi d'une sorte de colère, une **imprécation** sacrée. Il n'avait pas revu Gorki depuis Sorrente, depuis dix ans, et **avait effacé** les raisons d'une si longue **coupure**. Sa sincérité innocente fabriquait une mémoire dont la **foi** et la **bonne foi s'appareillaient**. De Gorki, il n'apercevait que le défenseur de l'honneur de l'homme, et le **pourfendeur** de l'inhumain. Il avait oublié ses **compromissions**, ses **soumissions**, sa longue route avec les « monstres ». Il pensait à lui comme il pensait à Salomé. Les **tournants** de la vie n'affectent pas la continuité de l'âme. C'est celle-ci qui figure **au terme du bilan**.

Je me gardais de l'interrompre, **je me défendais de** l'interroger. D'ailleurs, il ne m'eût pas entendu. Je devinais ce qu'il avait en tête : les circonstances de la mort de Gorki, dont nul ne savait si elle avait été naturelle ou provoquée, depuis qu'un procès avait condamné pour haute trahison une vingtaine de « conspirateurs criminels »

Krioutchkov   Nikita Khrushchev (1894–1971), Soviet leader from 1955 until he was deposed in 1964

mourant   dying man

voulait confier à   wanted to give to

Aragon   Louis Aragon (1897–1982), French surrealist poet and longtime supporter of the Communist Party

Elsa   Elsa Triolet (1896–1970), French writer of Russian origin who was the wife and muse of Louis Aragon

meurtre et mensonge   murder and lies

trompeuse   deceitful

La nuit était tombée   Night had fallen

clignotaient   twinkled

émerveillement   wonder

ne s'attardait jamais   never lingered long

Il s'étira   He stretched

Je vais t'apprendre   I'm going to teach you

qui te manque   that you don't know

luciole   firefly

infimes   minute, infinitessimal

je vous dépeins   I am depicting you

passé suranné   outdated past

futur abrégé   abridged future

précaire actualité de l'être   precarious relevance of being

qui ne peut que   which can only

don   gift

parmi lesquels figuraient ses deux médecins et son propre secrétaire **Krioutchkov**. Sans doute s'interrogeait-il aussi sur le message pressant que le **mourant voulait confier à Aragon**, et sur les motifs qui avaient retenu celui-ci à Pétersbourg, chez la sœur d'**Elsa**, de sorte qu'il était arrivé trop tard pour l'entendre. Aux yeux de Zinovi, le communisme n'était que **meurtre et mensonge**. Opinion viscérale.

*
* *

Cette soirée-là, qui fut longue, se termina sur la terrasse de la vieille maison. Mon souvenir se méfie de la théâtralité et voudrait célébrer sans elle la tendresse **trompeuse** de l'heure. **La nuit était tombée**, transparente, sur nos ombres. Çà et là, de petites lumières **clignotaient** dans l'arbre qui bordait l'allée. On eût dit qu'elles vivaient, une seconde, le temps de leur **émerveillement**.

Zinovi **ne s'attardait jamais** dans la même humeur. **Il s'étira** en levant son bras, et se mit à rire. « Dans l'Univers, nous sommes pour une part de petites choses, et pour le reste pas grand-chose.

— **Je vais t'apprendre** un mot **qui te manque**, dit Jacqueline : "**luciole**". »

*
* *

Zinovi, vous ai-je compris ? Vous voilà entré dans le temps où l'avenir est le programme d'une petite semaine, où le présent, quand il se présente bien, est le petit bonheur de la journée qui s'offre. Les joies **infimes** ne font pas oublier l'infini, au contraire, mais elles le domestiquent. Les fleurs des champs donnent à Dieu un doux visage.

L'âge où **je vous dépeins** est devenu le mien. Longue mémoire, court projet. **Passé suranné, futur abrégé.** Entre deux, la **précaire actualité de l'être qui ne peut que** rendre grâce. Le naturel enfin mis à jour de votre origine est le **don** de votre conclusion. Vous avez

rue Daru street in the 8th arrondissement, site of the Saint Alexander Nevski Russian Orthodox Cathedral, coincidentally a copy of the cathedral in Nizhni Novgorod, Pechkoff's native city

cierge candle

vous agenouiller kneel

ternissait tarnished

caveau vault

se taisait was quiet

verrou lock

appuyée sur le coussin laid on the cushion

canapé de cuir leather sofa

éclairs lightning

état d'âme state of mind

sanglot sobbing

craint fears

espérer hope

menacent threaten

épaisseur *here:* depths

haleines breaths

revécues experienced again

Allégées Relieved

dessaisie relinquishing

saisissante remarkable, dazzling

tamisée dimmed

veille wake

deuil mourning

gamin kid

dette acquittée debt repaid

mis du temps à rencontrer le Dieu chrétien que vous avez adopté sans le connaître. Souvent, paraît-il, vous allez **rue Daru**, mettre un **cierge** à l'église, et **vous agenouiller** devant l'icône. « J'ai tant d'amour dans le cœur », dites-vous.

Je mesure aujourd'hui combien vous nous aimiez, nous qui vous entourions gaiement. Nous ne le savions pas. Nous allions, nous venions, nous vous quittions, ce n'était pas notre faute, vous nous disiez au revoir en nous regardant partir. La solitude vous attendait, qui est l'escorte de la vieillesse, la compagne qui jamais ne lui manque. Le soir qui **ternissait** la fenêtre de votre appartement en faisait un **caveau**, le téléphone **se taisait**, le **verrou** condamnait la porte, vous ouvriez un livre et vos yeux se fermaient. Zinovi, est-ce que je me trompe ? La tête **appuyée sur le coussin** du **canapé de cuir**, vous rêviez. À quoi ?

Ce n'était pas des anecdotes, à peine des souvenirs, qui survenaient. Ces **éclairs** sont bons pour la conversation, quand on est deux. C'était l'intimité intransmissible d'un **état d'âme**, le **sanglot** d'un enfant qui **craint** qu'on l'abandonne, du petit animal qui attend sans **espérer**, c'était le besoin de repeupler la nuit, la soudaine exigence de quelque chose au moment où les choses **menacent** de vous quitter. Alors s'approchait sans bruit, venant de l'**épaisseur** du temps, des **haleines** de la nuit, de la profondeur supposée de l'âme, le baiser maternel de la mémoire.

Saisons révolues, **revécues**. **Allégées**, expurgées, **dessaisies** d'une vie **saisissante**. Disponibles comme un film qui n'aurait d'autre spectateur que vous, si singulier que personne ne vous en dispute l'exception, puisque vous en êtes le sujet et l'auteur. Lumière **tamisée** de **veille** et de **deuil**. Vue qui baisse, vie qui tombe. Zinovi, qui d'autre pourrait se souvenir du petit Zinovi, le **gamin** juif de la Volga, habitant de Nijni-Novgorod ? À part vous. Et moi qui, tout à l'heure, ai cru le rencontrer.

Pour quoi j'ai fait ce livre, qui est une **dette acquittée**.

La roue tourne. Dos tourné, vous allez vers ce qui fut, et qui, dans la nuit, vous fait retour. À chacun son dernier regard.

en différé pre-recorded

en direct live [television program, concert, etc.]

lorsqu'il rendit l'âme *in effect:* when he died/gave up the ghost

Il pressentait He could feel it coming

revêtant putting on

s'était pliée had been submitted

recèle le futur the future secretly holds

s'intrigue l'attente waiting schemes with

Or Now

trépas demise

l'au-delà de l'après beyond the afterward

il soupira he sighed

pope Orthodox priest

Sainte-Geneviève-des-Bois site of a Russian Orthodox cemetery, south of Paris

la pudeur et l'éclat modesty and brilliance

gilet vest

drap wollen cloth

Musée d'Aubagne Museum of the Foreign Legion near Marseilles

gratté *here:* scraped off

pâlissait was fading

Il pleuvait It was raining

*
* *

La vie, c'est un peu la mort, **en différé**, tous les jours. Un jour, c'est la mort **en direct**, tout à fait. Nous étions en Afrique **lorsqu'il rendit l'âme**. Brusque arrêt du destin. Il en avait connu d'autres ; décisions prises en haut lieu qui ne tolèrent « ni hésitation ni murmure ». **Il pressentait** celle-là. En **revêtant** l'uniforme, sa rébellion **s'était pliée** à l'ordre. En même temps, elle trouvait bonnes l'invention que **recèle le futur**, l'incertitude dont **s'intrigue l'attente**. Or le **trépas**, qui est une soumission à l'autorité suprême, est également la découverte de l'insoupçonné : **l'au-delà de l'après**. Les deux vertus de son existence, celle de la discipline et celle du défi (certains diraient la foi et l'espérance), vieilles connaissances en tout cas, venaient le quérir, familières et fatales. Salomé lui souriait. Les battements de son cœur cognèrent très fort, puis cessèrent. Sans doute **il soupira**, lui aussi, pour finir.

Six caporaux au képi blanc ont porté son cercueil où, suivant sa volonté expresse, on avait glissé le portrait de Gorki. Un **pope**, son ami, le prince Obolenski, chanta les prières à l'église russe de **Sainte-Geneviève-des-Bois**. La cérémonie, discrète, fut superbe, à l'image d'une existence dont elle concluait **la pudeur et l'éclat**.

De retour à Paris, je mis ensemble ses souvenirs, son **gilet** de **drap** vert aux boutons dorés, son bracelet d'officier français, la croix qu'il portait à son cou, afin de les envoyer plus tard au **Musée d'Aubagne**. J'ai rassemblé ses lettres.

Il y a peu de temps, je suis revenu sur sa tombe. Jacqueline ayant disparu elle aussi, j'étais accompagné d'une amie, Sonia, qu'il aurait aimée. Nous avons entendu l'office du dimanche. Nous avons **gratté** la pierre où déjà **pâlissait** l'inscription « Pechkoff, légionnaire ». **Il pleuvait**.

ANNEXES

débuts   early days
ne coïncident guère   do not completely match

rédigé   drafted

Salonique   Salonica, modern-day Thessaloniki, Greece's second-largest city
Mandchourie   Manchuria, vast historical region in northeastern China
Maréchal Foch   Ferdinand Foch (1851–1929), French military officer. In 1918, Foch became the supreme commander of all Allied forces on the Western Front.
Caucase   Caucasus, a region in Eurasia bordered by Russia to the north, Turkey to the southwest, the Black Sea to the west, the Caspian Sea to the east, and Iran to the south
campagne du Rif   the Rif War of 1920, also called the Second Moroccan War, fought between the Spanish and the Rif and Jibala tribes of Morocco. The French came to the aid of Spain in 1925, and a year later the Moroccans surrendered.

TROIS CURRICULUM VITÆ

*Trois curriculum vitæ qui ont en commun d'être très sommaires sur les **débuts** de Zinovi Pechkoff, et, pour la suite, **ne coïncident guère**.*

DOCUMENT 1. Curriculum vitæ de Zinovi Pechkoff **rédigé** par lui-même le 26 novembre 1941.
(Ne comporte ni date de naissance ni mention de grade militaire jusqu'en 1932.)

Né en Russie. Naturalisé Français depuis vingt-cinq ans.

Entré au service de l'armée française le 4 août 1914. A fait la guerre 14-18 contre l'Allemagne. Blessé en 1915 à l'assaut des lignes ennemies. Envoyé en mission par le Ministère des Affaires Étrangères en Amérique du Nord.

Du grand quartier de l'armée, envoyé en mission :
– en Russie en 1917,
– à **Salonique** en 1917,
– en Chine et au Japon,
– en **Mandchourie** et en Sibérie en 1918-1919, par le **Maréchal Foch** et par le Ministère des Affaires Étrangères.

Adjoint au Haut-commissaire au **Caucase** en 1920. Adjoint au Haut-commissaire en Crimée en 1920-1921. Campagne du Maroc 1922-1925. Blessé à l'assaut des postes ennemis en 1925 pendant la **campagne du Rif.**

Détaché diplomat on temporary assignment
Attaché diplomat on more permanent assignment
Liban Lebanon
Homs city in western Syria
Levant Near East
officier frontalier et de reseignements border information officer

T.O.E. =Théâtre d'opérations externes

glaives crossed swords found on certain decorations. It signifies that the decoration was awarded for service in time of war.
agrafes small inscribed metal bars attached to medal ribbons that indicate where the recipient saw the military action that merited the decoration

Détaché du Ministère des Affaires Étrangères.

Attaché à l'Ambassade à Washington, 1926-1929. En Syrie et au **Liban** 1930-1932. D'abord au Bataillon de la Légion Étrangère à **Homs**, puis détaché au Haut-commissariat du **Levant** et chargé de mission de liaison avec le Haut-commissariat britannique en Palestine, **officier frontalier et de renseignements**.

Prend le commandement d'un bataillon de la Légion Étrangère au Maroc en 1932-1933 pendant les opérations au Djebel Badou, du Djebel Sagho, et les vallées d'Indras. Syrie et au Liban en 1933. Chargé de mission au Liban-Sud et nommé délégué du Haut-commissariat au Liban-Sud avec le titre de conseiller Administratif. A occupé ce poste jusqu'à la fin de 1936.

Prend de nouveau le commandement de la Légion : Commandant le 3/2 Régiment de la Légion jusqu'à la fin de 1940.

Médaillé militaire en 1915 (Croix de Guerre avec palmes).

Chevalier de la Légion d'Honneur en 1917.

Officier de la Légion d'Honneur en 1926.

Croix de guerre des **T.O.E.** avec palmes.

Commandeur de la Légion d'Honneur en 1936.

Officier de St-Wladimir.

Commandeur de St-Wladimir.

Chevalier de St-George.

Officier de l'Étoile de Carageorge avec **glaives**.

Officier de la Croix de Georges Ier de Grèce.

Médaille du Maroc avec plusieurs **agrafes**.

etc., etc.

en retraite retired

rejoint joins

A.O.F Afrique-occidentale française = French West Africa

Union interalliée The Cercle de l'Union interalliée is an exclusive
  social club founded in 1917. Marshal Foch was its second
  chairman.

DOCUMENT 2 : Curriculum vitæ de Zinovi Pechkoff, *Who's Who.*

(Ne comporte aucune mention de grade ni d'avancement militaire. Omet ses blessures, ses missions en Russie et sa naturalisation.)

« PECHKOFF (Zinovi), diplomate et général [*dans la quatrième édition, seulement diplomate*] **en retraite** depuis 1949, fils adoptif de Maxime Gorki. Né le 16 octobre 1884 à Nijni-Novgorod (Russie). Carrière : volontaire dans l'armée française (1914) ; missions aux États-Unis (1917), Chine, Japon, Mandchourie et Sibérie (1918-1920) ; Adjoint politique auprès du Haut-commissaire au Caucase (1920) ; Campagne du Maroc comme officier de la Légion étrangère (1921-1926) ; Affaires étrangères (1926-1930) ; Haut-commissariat au Levant (1930-1937) ; commandant de la Légion au Maroc (1937-1940) ; **rejoint** la France libre (1941) ; Délégué auprès du gouvernement de l'Union de l'Afrique du Sud avec rang de ministre (1941-1942) ; Chef de la mission en **A.O.F.** (1943) ; Délégué, puis ambassadeur en Chine (Tchouking) (1943-1945) ; Chef de la Mission française au Japon avec rang d'ambassadeur (1946-1949). Décor. : grand-croix de la Légion d'honneur, Médaille militaire, Croix de guerre 14-18.

« Adresse privée : 107, rue Lauriston, Paris, 16ᵉ. »

Dans la dernière édition, on trouve les lignes suivantes :

« Membre de l'**Union interalliée**. Envoyé par le général de Gaulle en mission auprès du maréchal Tchang Kai-chek (janvier 1964). »

Tchongking   Chongqing, or Chungking, a major inland port and former provisional capital of China

DOCUMENT 3. Curriculum vitæ de Zinovi Pechkoff, Annuaire diplomatique de 1948.

(Ne comporte aucune mention d'origine ni de nationalité acquise. Omet ses missions aux États-Unis et en Russie. Ne donne de grade militaire que celui de général de brigade.)

« PECHKOFF (Zinovi) [G. O. ✳, ☐, ☐, ☐ des T. O. E.], né le 16 octobre 1884 ; Engagé volontaire, 4 août 1914-1915 ; Croix de Guerre, Médaille Militaire, Chevalier de la Légion d'Honneur, 1917 ; adjoint politique du haut commissaire français au Caucase, 1920 ; à la disposition du résident général au Maroc, 1922 ; détaché au ministère des Affaires Étrangères, 1926-1930 ; Officier de la Légion d'Honneur, 1926 ; à la disposition du haut commissariat au Levant, 1930-1939 ; délégué du gouvernement et conseiller administratif au Liban-Sud, 1933 ; Commandeur de la Légion d'Honneur, 1938 ; engagé dans les Forces françaises libres, 1941 ; délégué du Comité national français en Afrique du Sud, avec rang de ministre plénipotentiaire, 1941-1942 ; chef des missions de la France libre en Afrique britannique, 1942-1943 ; général de brigade, avril 1944 ; délégué du Comité français de la libération nationale à **Tchongking**, avril 1944 ; ambassadeur, 21 novembre 1944 ; chef de la mission française de liaison auprès du Commandement Suprême allié à Tokyo, 19 mars 1946 ; Grand Officier de la Légion d'Honneur, 14 août 1946. »

a envahi overwhelmed
dure lasts
qu'au fond et dans le fond deep down
feuilles mortes falling leaves
passager fleeting
tout à fait momentané quite momentary

qui me pèse that weighs on me
en traînant dragging
péniblement painstakingly
je m'en veux à moi-même I hold it against myself
Jacqueline me manquait I have missed Jacqueline (Huré's wife)
qui m'était si chère who was so dear to me

malgré l'ombre de la tristesse despite the shadow of sadness
foi faith
ébranler shake

LETTRES

De Zinovi Pechkoff à Jacqueline Huré.
12 mars 1951 – Paris, rue Lauriston.

Merci, Jacqueline, la lettre que je viens de recevoir m'a fait du bien. J'ai passé une semaine bien triste et cette tristesse **a envahi** mon cœur et je voyais tout en noir et je pensais que la vie **dure** trop longtemps et **qu'au fond et dans le fond** au printemps même de notre vie commencent les **feuilles mortes** d'automne – mais c'est **passager**, **tout à fait momentané.** Peut-être c'est le printemps, peut-être ce sont les oiseaux qui sont déjà arrivés à Paris et qui chantent à mes fenêtres mais surtout et avant tout, c'est mon immobilité forcée **qui me pèse.** Et quand je sors dans la rue **en traînant** un pied après l'autre, et encore bien **péniblement, je m'en veux à moi-même** et je me sens terriblement diminué. Diminué en tout. Et **Jacqueline me manquait.** La rue de la Faisanderie est si proche mais il n'y a personne, il n'y a plus cette présence **qui m'était si chère.**

J'ai beaucoup lu et j'ai beaucoup pensé. C'est bien, c'est-à-dire que cela me fait du bien et c'est ainsi que je garde mon équilibre et **malgré l'ombre de la tristesse** qui me trouble en ce moment au fond de moi-même il y a une sérénité et une confiance et une **foi** que rien ne peut **ébranler.**

si parlant, si émouvant   so expressive, so moving

de tout temps   timeless

que je ne saurais pas définir   that I wouldn't know how to define/
   put into words

j'en suis bouleversé   I'm overwhelmed by it

se penche vers   turns to

rhume   head cold

ennui   is bothering

je ne peux pass me débarasser du mien   I can't get rid of mine

cheminée   fireplace

qui est réglée en dépit de toute justice   that was calculated without
   any regard for justice/fairness

cela m'est égal   I don't care, it doesn't matter

Je rouspète   I complain

je m'attendris stupidement   I get stupidly emotional

De Zinovi Pechkoff à Jacqueline et Francis Huré.
5 avril 1951 – Rome, Grand Hôtel.

C'est à droite en rentrant à la Cathédrale de Saint-Pierre à Rome que se trouve la Pietà de Michelangelo. Je reste toujours très longtemps à regarder ce grand marbre si chaud, **si parlant, si émouvant** dans sa vérité **de tout temps**. Là, une mère regarde le corps mutilé de son fils avec une expression **que je ne saurais pas définir**, mais chaque fois **j'en suis bouleversé** jusqu'au fond de mon cœur… Je pensais que le détail de cette œuvre représente toute l'humanité qui **se penche vers** le Christ meurtri – mais n'y a-t-il pas, dans l'expression de la mère, une divination, une certitude sereine de la Résurrection.

Veuillez accepter ces deux cartes et ma pensée fidèle.

De Zinovi Pechkoff à Jacqueline Huré.
8 octobre 1952 – Paris, rue Lauriston.

Chère Jacqueline,

Je reçois ce matin votre lettre. Je vois que votre **rhume** vous **ennuie** encore, moi aussi **je ne peux pas me débarrasser du mien**. La maison n'est pas encore chauffée et (il) y (fait) froid tout le temps. La **cheminée** ne chauffe pas beaucoup, mais cela me fait plaisir de voir le feu de bois. Pourquoi n'êtes-vous pas ici, venir s'asseoir près du feu.

Hier je suis allé au Ministère pour mes affaires de pension **qui est réglée en dépit de toute justice**, mais au fond, **cela m'est égal. Je rouspète** par principe et par une aversion pour l'injustice, mais c'est normal et tout à fait pertinent de la mentalité et d'absence d'éthique de notre époque. Ce matin, il y a un soleil. Je vois de ma grande fenêtre un morceau de ciel bleu et une joie pénètre dans mon cœur et **je m'attendris stupidement**. Je suis déjà allé deux fois dans ces matinées à me promener au Bois. Je pensais à vous. Et je pense

dizaine In English, one would say "a dozen." The French prefer the metric "ten or so."

mon propre usage my own use

reconnaissant grateful

au cœur attendri soft-hearted

sort fate

souvent, toujours à vous qui me manquez. Je lis attentivement une **dizaine** de journaux pour information professionnelle. Tout m'intéresse et je veux toujours me faire une opinion de tout (pour **mon propre usage** intellectuel et moral). Chère Jacqueline, vous partez toujours le 25 ? Puisque vous êtes loin, je vous embrasse sans danger pour votre rhume, mais triste que vous soyez loin, mais près quand même.

De Zinovi Pechkoff à Jacqueline et Francis Huré.
31 juillet 1962 – Athènes, Hôtel de Grande-Bretagne.

Mes chers Jacqueline et Francis,

Pourquoi tarder de vous écrire puisque je pense à vous et que mon cœur est plein de tendres amitiés pour vous, un cœur **reconnaissant** aussi, car vous êtes gentils pour moi oui, de m'inviter à passer quelques jours avec vous, car souvent, quand je suis loin, je pense souvent à vous. À Paris, j'appelle de temps en temps Béatrice au téléphone et je lui demande des nouvelles des enfants. Les « enfants », c'est vous, mais vous n'êtes pas des enfants, c'est plutôt moi qui deviens un enfant **au cœur attendri** de plus en plus en pensant à mes amis, des amis dont la vie, dont le **sort**, dont le bien-être, dont tout ce qui les concerne me touche profondément. Enfin, assez !

j'aime me sentir vivant I like feeling alive

craint de la mort fear of death

soucis matériels material worries

a secoué un peu le monde has shaken up the world a little bit

De Zinovi Pechkoff à Jacqueline Huré.
8 octobre 1965 – Paris, rue Lauriston.

Chère, chère Jacqueline,

Comment te remercier de ta si gentille lettre reçue ce matin et que tu te souviennes de mon anniversaire. Cela me touche beaucoup et me fait chaud au cœur – oui – 81 ans. Je ne comprends pas comment cela m'est arrivé. Il m'est difficile de me persuader que je suis arrivé à cet âge où, normalement, on devrait déjà être au grand repos dans l'éternité, mais, chaque matin au réveil, je me dis à moi-même : « Tu te réveilles encore pour un jour dans la vie ! » car j'aime la vie, la lumière du jour, la beauté de la nuit, j'aime le printemps et j'aime l'automne, et **j'aime me sentir vivant**, respirant et cette grande promesse du ciel de vivre un peu sans, pourtant, la **crainte de la mort**. Je suis là, tout prêt devant cette inexorable amie.

Comme je vous ai écrit à vous deux, mon opération est remise au mois de mars. Les médecins consultés m'ont conseillé de ne pas entrer en convalescence avec l'hiver pendant. Ainsi, j'ai un répit de quelques mois.

Mais comme on est gentil pour moi. Hier, un coup de téléphone de l'Élysée. Le Général s'informait de ma santé et de l'opération et si j'avais besoin de quelque chose et si j'avais des **soucis matériels**. En le remerciant profondément, je répondais que je n'avais jamais ces soucis matériels. J'étais vraiment ému et surpris de cette si grandement humaine démarche de notre Général.

Ceci dit, je vais assez mal, mais quand même suffisant pour lire (assez péniblement) et quand même écrire à Jacqueline et Francis. J'ai dîné hier chez les Vigneau, ce matin je déjeune chez Claire de Pitray. Le soleil brille comme en été. Il fait chaud. Je me promène au bois le matin.

Je pense souvent, souvent à toi, à vous deux, à Laetitia. J'espère que tout va bien et que vous êtes contents et joyeux. Le voyage du pape **a secoué un peu le monde**…

Merci encore, chère Jacqueline, de ta gracieuse lettre et je t'embrasse de tout mon cœur ainsi que Francis et Laetitia.

chancelante shaky, unsteady
récupéré la vue recovered my eyesight

De Zinovi Pechkoff à Jacqueline et Francis Huré.
8 février 1966 – Paris, rue Lauriston.

Mes enfants,

C'est ma première lettre écrite après l'opération. C'est à vous, cette feuille avec mon écriture **chancelante**.

Mais quelle joie d'avoir **récupéré la vue** !

Merci, Jacqueline, merci, Francis, merci de toute votre gentillesse ! Votre télégramme qu'on m'a donné à l'entrée à la clinique a été une bénédiction, merci !

Je sens tout le temps votre présence. Je vous embrasse tous.

De Zinovi Pechkoff à Jacqueline et Francis Huré.
24 novembre 1966 – Paris, rue Lauriston
(deux jours avant la mort de Zinovi Pechkoff).

Mes très chers Jacqueline et Francis,

Béatrice vient dîner ce soir. Elle quitte Paris pour vous rejoindre. Comme je suis content pour elle et comme je suis heureux pour vous que vous vous réunissiez tous pour les fêtes de Noël.

Ma pensée sera constamment auprès de vous, pensée fidèle, affectueuse et tendre.

Quand pensez-vous l'un ou l'autre venir à Paris ?

Je vous embrasse de tout mon cœur, à vous.

éloignement a dû l'aviver encore   distance must have intensified it even more

Ne pouvoir être là   Not to be able to be there

autour de lui à le pleurer   beside him, to mourn him

Prier, le voir encore   To pray, to see him still

Bien qu'au-delà   Although in the beyond

démarrer   make a good start

je sois sa légataire   I be his legatee

tâche   task

chagrin   grief

Lettre à l'auteur de Jacqueline de Caumon, née Delaunay-Belleville, épouse de Zinovi Pechkoff.
14 novembre 1966 – Paris.

Cher Monsieur,

Jean m'a dit votre peine profonde pour la perte si brutale de notre Zino. Votre grand **éloignement a dû l'aviver encore. Ne pouvoir être là autour de lui à le pleurer. Prier, le voir encore ! Bien qu'au-delà**... bien au-delà de nous tous.

En Paix... enfin !

Il était beau, magnifique même et comme vivant !

Je sais combien il vous aimait, vous et Jacqueline.

Pour nous (lui et moi), notre affection et notre estime étaient réciproques et vraies.

Dès mon retour de Bretagne, il était venu déjeuner dans mon « trou à rats ». Il était en forme, gai... gentil, et j'étais si contente le voir **démarrer** pour un meilleur hiver !! (Ses yeux avaient été pour moi une telle angoisse !)

Quand il me quittait, je lui dis : « Tu es formidable ! je t'en donne pour au moins 10 ans. Après on verra. » Il m'a répondu, souriant, hésitant : « Oh non, pas plus de deux ans ! » Et voilà.

D'autres, bien sûr, l'ont vu depuis ce jour, jusqu'à ce 27 novembre, son dernier jour.

Zino a voulu que **je sois sa légataire**. Un honneur. Et aussi une lourde **tâche**.

Ceci pour vous expliquer la lettre ci-joint trouvée dans le bureau lors de la recherche des pièces demandées par le notaire.

Si vous venez en France, l'an qui vient, j'aimerais vous voir.

Veuillez dire, et partager avec votre femme, ma pensée triste et fraternelle en ce commun **chagrin**.

Une Aventure
au temps de Staline

Francis Huré

Pourtant Nonetheless

ce qui d'ailleurs which I might add

témoins witnesses, first-hand accounts

Raison de plus All the more reason

a froid, a faim, a peur is cold, is hungry, is afraid

moitié *here:* other half

Leningrad...Stalingrad two Soviet cities whose emblematic names rhyme, one in the north, the other in the south, both sites of large-scale suffering and fighting in World War II

on se bat there was fighting

qui peut en être sûr who can be certain of it

envahisseur invader

atteigne le bout is reaching the end

s'essouffler to run out of steam

N'empêche No matter

étendues expanses

Hôtel National hotel situated across from the Kremlin and next to Red Square. After the revolution in 1917, the National became the First House of the Soviets and the residence, for a while, of the Bolshevik government.

palace a high-end/five-star hotel

Ce que j'y fais ? What am I doing there?

J'ai rejoint I joined

France libre Free France, the name given to de Gaulle's government in exile during World War II

auprès *here:* to

auparavant previously, formerly

manque de civils lacks civilians

nommer appoint

a connu des circonstances peu ordinaires was far from ordinary

pour contourner to avoid

Téhéran Tehran, the capital of Iran, 1,500 miles south of Moscow

escale stopover

danois Danish

addresser un colis to send a package

246

On va me dire que cette histoire est largement imaginaire. **Pourtant**, je la certifie, **ce qui d'ailleurs**, ne signifie rien puisque je suis le seul à l'affirmer. Mais ce n'est pas ma faute si elle n'a plus de **témoins**. Je crois qu'ils sont tous morts, ou qu'ils ont perdu leur mémoire. Sauf moi. **Raison de plus** pour raconter.

Décembre 1943. L'hiver russe est glacial. L'univers entier **a froid, a faim, a peur**. Il fait la guerre contre l'ennemi, c'est-à-dire l'autre partie de lui-même, sa **moitié** ou son double. Sur l'immense frontière qui va du nord au sud, de **Leningrad à Stalingrad**, **on se bat**. Il semble toutefois (mais **qui peut en être sûr**), que l'**envahisseur atteigne le bout** de sa course et commence à **s'essouffler**. **N'empêche** que ses troupes occupent encore d'immenses **étendues** de la patrie russe.

J'habite Moscou, chambre 224 de l'**Hôtel National**. Un **palace**. **Ce que j'y fais** ? **J'ai rejoint** la **France libre**, plus exactement le Comité français de la libération nationale. Ce Comité a **auprès** des autorités soviétiques une représentation dont je fais partie. J'étais militaire, mais **auparavant** diplomate. La guerre **manque de civils**. On ne m'a pas demandé mon avis pour me **nommer**.

*
* *

Mon arrivée en URSS **a connu des circonstances peu ordinaires**. À cette époque, **pour contourner** le front, on passait par **Téhéran**. Au cours de cette **escale,** je rencontrais l'épouse d'un collègue **danois** qui souhaitait **adresser un colis** à sa sœur, habitant Moscou. Elle

souriante   pleasant

me faisant patienter   making me wait

alla quérir l'objet   went to fetch the item

garnitures   knickknacks

guéridon   pedestal table

tabatière dorée   gilded snuff box

A peine   Hardly

grogant   growling

molosse   large ferocious dog

Apeuré   Scared

canapé   sofa

en profita   took advantage of the opportunity

mâchoire   jaw

déchira   ripped

fond   bottom

lâcher prise   letting go

entrain   gusto; *in effect:* ferocity

arracha   tore away

entrain   drive

fesse   buttock

Survint à temps un serviteur persan   A Persian servant appeared in the nick of time

vorace   voracious creature

pour accueillir   to extend a welcome

venues   who had come

mutisme   silence

Elles le furent davantage   They were even more so

je m'étais engoncé   I had squeezed myself

blafard et balafré   pale and scared

révélation   revelation (in both senses of the term)

pansé en un clin d'œil   nursed in a flash

bienfaitrices   benefactors

s'accroupit   squatted

rougis   blushed

On m'enfila   They slipped me into

géant balte   Baltic giant

il avait connue sur nos boulevards   he had met on our streets

rage   rabies

s'enfuit   took off running

se signa   made the sign of the cross

était aimable et **souriante**. Je me rendis donc à la résidence de cette dame qui, **me faisant patienter** au salon, **alla quérir l'objet**.

Par curiosité, j'examinai les petites **garnitures** d'un **guéridon** et me penchai sur une **tabatière dorée**. **A peine** l'avais-je en main qu'un chien **grognant**, un **molosse**, bondit sur moi. **Apeuré**, je lui tournai le dos pour m'abriter derrière un **canapé**. Il **en profita**. D'un premier coup de **mâchoire**, il **déchira** le **fond** de mon pantalon, d'un second (mais sans **lâcher prise**), il en **arracha** un large morceau, d'un troisième, et avec le même **entrain**, il me lacera la **fesse**. **Survint à temps un serviteur persan** qui traîna le **vorace** par son collier et disparut avec lui.

C'est le moment où mon hôtesse descendit l'escalier **pour accueillir** avec grâce quelques amies **venues** prendre le thé. J'allais leur être présenté. Elles semblaient visiblement intriguées par ma pâleur, mon **mutisme**, mon embarras. **Elles le furent davantage** lorsqu'elles me virent quitter le fauteuil où **je m'étais engoncé** et aperçurent le large trou par lequel prenait l'air un postérieur **blafard et balafré**. La maîtresse de maison eut aussitôt la **révélation** de la vérité : « le chien ! », eh oui, le chien.

La surprise de ces dames se convertit en commisération. « Mon Dieu, le pauvre jeune homme ! ». Je fus lavé, désinfecté, **pansé en un clin d'œil**. Pour mieux faire, l'une de mes **bienfaitrices s'accroupit** devant mes disgrâces. Je **rougis**. On m'**enfila** un vêtement de maître de maison, un **géant balte** de deux mètres de haut, alors que je mesure trente centimètres de moins. On alerta le médecin de l'Empereur et sa femme, charmante parisienne qu'**il avait connue sur nos boulevards**. Elle se mit à ma disposition pour me réconforter.

Bref, je passais à Téhéran un mois entier, délai délicieux et nécessaire pour s'assurer que le chien n'avait pas la **rage**. Lorsque enfin libéré, je débarquai à Moscou, on ne m'attendait plus. Que dis-je, la secrétaire **s'enfuit** en m'apercevant, et le chauffeur, le vieux Karl, **se signa** comme devant la vision d'un fantôme. Le télégramme envoyé

chiffré encoded

mordu bitten, vs. *mort* = dead. The tale lends itself to Huré's "poetic" use of assonances and alliterations.

« l'affaire est dans le sac », et non pas « dans le lac » a reference to *The Queen of Spades (Dame de Pique)*, written by Alexander Pushkin, set to music in an opera by Tchaikovsky and translated into French by Prosper Mérimée. In the latter version, there occurs a turn of phrase that dovetails with Huré's affinity for like-sounding words.

files d'attente waiting lines

entassée piled high

humeurs sombres *here:* shady characters

hydre aux cent têtes the many-headed snake of Greek mythology

ronge les visages takes a toll/leaves its mark on people's faces

gémir complain

Nilzia forbidden, pronounced "nielzia"

compatir sympathize

fait éclore gave rise to, saw the emergence of

méridionale southern

Normandie-Niemen famed French airforce fighter squadron organized in 1943 to help Soviet forces on the Eastern Front

fusées *here:* fireworks

maquis *literally:* the brush; *here:* armed French Resistance fighters

Narkomindiel an acronym (initials that are pronounced like a word) standing for the ministry of Foreign Affairs

en abrégé for short

On m'a prévenu I was forewarned

on m'entretiendrait they were discussing with me

250

de Téhéran pour relater mon aventure avait été mal **chiffré**, sur les premières lettres. Ainsi, au lieu de lire que j'avais été **mordu** par un chien, on apprenait que j'étais mort, les syllabes suivantes étant incompréhensibles. Les personnes instruites évoqueront le message erroné de la Dame de Pique : « **l'affaire est dans le sac** », et non pas « **dans le lac** ».

*
* *

Me voici donc, après ces incidents, installé à Moscou. Dans la grande misère du monde, je suis un privilégié et j'en suis conscient. C'est de ma double fenêtre que je contemple les détresses de la rue, les **files d'attente** aux portes des magasins vides, les malheureux et les maladroits qui tremblent sur la neige **entassée**. La police traque les **humeurs sombres** et le marché noir. La souffrance, **hydre aux cent têtes, ronge les visages**. Mais on n'a pas le droit de **gémir**. « **Nilzia** ». Interdit. Je ne puis que **compatir**, et admirer.

Le printemps suivant **fait éclore** un espoir. Au Sud, l'Armée Rouge reconquiert l'Ukraine **méridionale**. Au centre, elle a libéré Kiev, au Nord, elle s'approche de la Pologne. Nos aviateurs de « **Normandie-Niemen** » s'illustrent sur ce front. Le Kremlin a décidé de fêter ses reconquêtes et chaque nuit, le ciel de Moscou s'illumine de **fusées** triomphantes. On nous dit qu'en France, la Résistance s'organise, que les **maquis** se multiplient.

*
* *

Les maquis de la Résistance, que sont-ils, que font-ils, qui les dirige ? Nous ne cessons d'y penser. Et justement, je viens d'être appelé au Ministère des Affaires étrangères, le Commissariat du Peuple, comme on dit, **Narkomindiel, en abrégé**. **On m'a prévenu** du sujet dont **on m'entretiendrait** : on souhaiterait m'interroger sur la légitimité

tandis que whereas, while

dirigeant leader

élément moteur driving force

lutte struggle, fight

Maurice Thorez (1900–1964) legendary head of the French
  Communist Party and staunch ally of the Soviet Union.
  Ironically, he was appointed by de Gaulle to help rebuild France.
  A Moscow university bears his name.

quiconque anyone else

manifeste obvious

inquiétants disturbing

A la réflexion Upon reflection

soulèvent la question raise the question

l'envenimer to make things worse

Par ailleurs Moreover

ils veillent, ils surveillent they stand watch, they keep an eye out

cependant in the meantime

ému nervous

mise en cause questioning

francs-tireurs army irregulars

milicien militiaman

mener guide, lead

Tout entier Absorbed

puisque je connais les lieux since I know my way around

se croise pass each other

baillantes wide open

étagères shelves

s'étalent are spread out

tapis carpet

Je ne m'en soucie guère I didn't worry much about it

Je songe à mon exposé I was thinking about my report

je prends conscience it dawns on me

Loubianka infamous ministry of the interior and its interrogation
  chambers

soupçonneuse distrustful

du Comité de Londres à coordonner les opérations de la Résistance française, puisque son chef, le Général de Gaulle, n'est qu'un général, **tandis que** le plus haut **dirigeant** du Parti Communiste, **élément moteur** de la **lutte** anti-nazi, **Maurice Thorez**, réfugié à Moscou, est, lui, Député au Parlement, responsable politique, et donc plus qualifié que **quiconque** pour conduire la lutte populaire.

La menace est **manifeste**, ses effets **inquiétants**. J'en parle, évidemment, au Ministre de la Délégation, Roger Garreau. **A la réflexion**, puisque les soviétiques **soulèvent la question** au modeste niveau qui est le mien, c'est sans doute qu'ils ne veulent ni **l'envenimer**, ni la pousser trop loin. **Par ailleurs**, on ne doit pas voir de dramatisation dans cette convocation soudaine et nocturne : les bureaux ne dorment pas, **ils veillent, ils surveillent**.

Mais **cependant**, on le devine, je suis **ému**, plus qu'ému, dans la voiture de notre chauffeur, le vieux Karl, qui me conduit à mon rendez-vous. Que cache cette **mise en cause** de l'autorité du Général sur nos partisans et nos **francs-tireurs** ? Je débarque à la porte du Ministère. D'habitude, un **milicien**, officier supérieur, homme ou femme, attend le visiteur pour le **mener** à l'étage, dans la pièce où doit avoir lieu l'entretien. Cette fois, je ne trouve personne pour m'accueillir. **Tout entier** à mes pensées, récapitulant mes arguments, je ne m'étonne pas, et **puisque je connais les lieux**, je prends l'ascenseur. Au troisième étage, l'interminable couloir où **se croise** le personnel, relie ce soir des bureaux sans occupants, portes **baillantes**, **étagères** encombrées. Des dossiers **s'étalent** sur le **tapis**, le téléphone ici ou là, sonne sans que l'on y réponde. Étrange spectacle. **Je ne m'en soucie guère. Je songe à mon exposé.**

*
**

Tout à coup, **je prends conscience**. Je me découvre dans cet immeuble, à deux pas de la fameuse **Loubianka**, en plein cœur de l'appareil stalinien, organe implacable d'un dictature **soupçonneuse**,

combattante et collaborante combatant and collaborator, the two
  French camps during World War II
pour vous confondre to confuse you
experts en aveux extorqués specialists in forced confessions
Mon compte est bon I'm in for it

Me sauver Escape
Me plaquer Plaster myself
blême pale, white as a ghost
décharge *here:* prosecution
Je fulmine I am enraged
elle me maudit she is cursing me
retenons nos humeurs control our tempers

Désescalade Avalanche
Elle me talonne She follows closely behind me
Je m'incline devant elle I bow to her
sans broncher without blinking an eye
planton orderly
Je m'engouffre I rush, hop
annulé canceled
Je l'ai échappé belle I got away in the nick of time

donne *here:* situation
désormais inéluctable henceforth inevitable

moi, l'étranger, le citoyen d'une France ambiguë, **combattante et collaborante**. Que fais-je seul, dans ce corridor accessible aux seuls agents autorisés par le Parti ? Comment m'expliquer, me justifier devant des policiers convaincus d'avance et qui ne vous écoutent que **pour vous confondre** ? Mon innocence n'est évidente qu'à mes yeux. Les services de la Sécurité sont **experts en aveux extorqués**, en liquidations sans bruit. C'est la guerre, on disparaît, voilà tout. **Mon compte est bon**.

Que faire ? **Me sauver** ? Me cacher. Où ? **Me plaquer** contre le mur, souhaitant qu'il me pétrifie ? Mon cœur s'est arrêté de battre. J'entends des pas. Apparaît la milicienne qui me cherche.

Elle est **blême**, peut-être plus que moi. Sa faute, n'être pas à son poste pour m'attendre et me conduire, est égale à la mienne, avoir pénétré le saint des saints sans guide et sans permis. Nous ne méritons l'un et l'autre, ni **décharge**, ni défense. **Je fulmine** contre elle, je sens qu'**elle me maudit**. Nous sommes face à face, nous ne disons rien, nous **retenons nos humeurs**.

Elle m'indique l'escalier et me fait signe d'attendre. **Désescalade** de la terreur, marche après marche. **Elle me talonne**. Trois étages. **Je m'incline devant elle**, à la sortie, **sans broncher**. Le **planton** me présente les armes. **Je m'engouffre** dans la voiture, aux côtés de Karl.

De retour dans mon bureau, on m'appelle pour me dire que le rendez-vous est **annulé**. On ne me donne aucune raison. **Je l'ai échappé belle**.

*
* *

Trois mois après, le 6 juin 1944, les alliés qui débarquent en Normandie ont changé la **donne** : la défaite allemande est **désormais inéluctable**. Le 15 août à Paris, le balcon de l'Hôtel de Ville, un Français parle aux Français, et c'est le Général de Gaulle. Son autorité n'est plus contestable. En décembre, il vient à Moscou, l'affirmer. Il

vont bientôt se taire   are going to be silenced soon
essayer de s'entendre   (are going) to try to get along
portée et les péripéties   twists and turns
me bornant à dire   suffice it to say
demeure   remains in place
rechigner   to balk
se félicitent   are pleased
éclatons de bonheur   burst with joy
sigle   abbreviation (vs. acronym that spells out a new word)
société anonyme   corporation
C.F.L.N.   Comité Français pour la Libération Nationale
G.P.R.F.   Gouvernement Provisoire de la République Française
ranime   restores, revives
avenir devenu notre œuvre   future of our own making

Je circule   I move around
Lublin, Varsovie, Leningrad, Bakou   Lublin, Poland; Warsaw,
    Poland; Leningrad (Saint Petersburg), USSR; Baku, Azerbaijan
    (at the time, part of the USSR)
très encadrées   very closely watched
à titre privé   as a private citizen
Colchide   ancient name for Georgia, where Jason sought the Golden
    Fleece
lubies   whims
indéchiffrables   indecipherable
accomplir une suite de démarches   to go through a series of hoops
il convient de découvrir   you have to figure out
auprès de qui les faire   *in effect:* whose hoops you have to jump
    through
dossiers insolites   unusual files
ma requête joue les balles de raquette   my request gets bounced
    around like racquet balls

dîne au Kremlin, avec Staline. Les armes **vont bientôt se taire**, et les hommes **essayer de s'entendre**.

Je passe sur la **portée et les péripéties** de ce tournant dans l'histoire, **me bornant à dire** que pour le citoyen soviétique, l'approche de la paix, qui est une libération, n'amène pas la liberté. Le système **demeure,** installé dans ses certitudes triomphantes et ne change rien à rien. Qui oserait **rechigner** ? Nos amis russes **se félicitent** tandis que nous **éclatons de bonheur**.

Tout est modifié pour nous, à commencer par notre désignation. Nous ne sommes plus porteurs d'un **sigle** qui ressemble à celui d'une **société anonyme**, le **C.F.L.N**, ou le **G.P.R.F**. Nous sommes l'Ambassade de France, héritière d'une grandeur qu'incarne, que **ranime**, le Chef de l'État, et nous avons devant nous les plans d'un **avenir devenu notre œuvre**.

*
* *

Je circule beaucoup. **Lublin, Varsovie, Leningrad, Bakou**. Missions officielles et **très encadrées**. Mais depuis toujours, j'ai une idée en tête : visiter, **à titre privé**, la Georgie, l'antique **Colchide**, ses vestiges grecs, ottomans, chrétiens. Pourquoi ? Nos **lubies** sont **indéchiffrables**. Avant de contenter celle-ci, il faut **accomplir une suite de démarches** qui, loin de me lasser, me stimulent. Et tout d'abord, **il convient de découvrir auprès de qui les faire**. J'apprends ainsi que se renvoyer d'un bureau à l'autre les **dossiers insolites** est, dans ce régime, une imprudence élémentaire. Toute décision fait peur. Elle est un risque. Entre l'administration du Tourisme, la police des étrangers, le protocole du Narkomindiel, **ma requête joue les balles de raquette**. Au passage, on m'indique que la saison est mal choisie, que les hôtels sont remplis, et que je ferais mieux de m'inscrire dans un voyage organisé pour le Corps Diplomatique, à Leningrad, par exemple. Evidemment !

Je m'entête I persist

un point c'est tout that's it, period

ayant eu vent de having gotten wind of

me charge gives me

Tiflis Tbilisi, the capital of Georgia

Je fourbis I burnish

en règle in compliance

guichet ticket office

les plus prévoyants ignorent l'imprévisible the most foresightful
cannot foresee the unforeseeable

se percent de fissures show cracks

fourmis ants

sans se targuer d'ésprit malin without a particular claim to
cleverness

« mou » soft

rembourrées padded

on s'entassait people were squeezing into

« dur » hard

se fit turned

grimper store overhead

secours help

gêne embarrassment

Où nous étions-nous aperçus *here:* Where had we met

Parbleu But of course

milicienne militiawoman

haï hated

feu de ses yeux fire in her eyes

Je m'entête. Je veux visiter la Georgie, **un point c'est tout**. Au surplus, l'Ambassadeur **ayant eu vent de** mon projet, **me charge** d'une lettre pour je ne sais quel Prince habitant **Tiflis**, dont les parents émigrés sont devenus parisiens. **Je fourbis** mon caprice de bonnes raisons. On connaît cela !

Afin d'être **en règle**, sachons oublier la règle. Tel est l'avis effronté que me glisse ma jeunesse. Je me présente donc au **guichet** de la gare, flanqué de Karl, le chauffeur de toutes les besognes, il m'achète le billet sans autre explication, me voilà embarqué. Je vérifie avec jubilation que **les services les plus prévoyants ignorent l'imprévisible**, que les murs les plus élevés **se percent de fissures**, que les **fourmis** trouvent leur chemin **sans se targuer d'esprit malin**.

*
* *

Je pris place dans un compartiment « **mou** ». Ainsi désignait-on les premières classes, qui se prétendaient **rembourrées**. J'y étais seul, alors qu'**on s'entassait** dans le wagon suivant, qui était « **dur** ». Mais au moment où le conducteur fit entendre son sifflet, je vis s'installer en face de moi une gracieuse créature, blonde, vive, en uniforme de lieutenant-colonel. Mon regard **se fit** insistant, indiscret, mais flatteur.

Je l'aidais à **grimper** ses bagages. Mon **secours** fut récompensé d'un sourire. A partir de quoi, bien naturellement, nous annonçâmes nos destinations. Tiflis, nous y allions tous les deux, rien de moins surprenant. Et cependant, je ressentais une **gêne**. Cette silhouette, ce geste, me disaient quelque chose. J'eus le sentiment que ma nouvelle compagne, elle aussi s'interrogeait. **Où nous étions-nous aperçus** ? **Parbleu**, c'était clair. Elle était la milicienne du Narkomindiel, Наркоминдел celle qui m'avait tant **haï** dans le couloir du 3ème étage, cette nuit dont je me souvenais de tout, sauf son visage. Je n'avais connu que le **feu de ses yeux**.

Nous eûmes We had
incitantes inciting
Tant mieux All to the good
brûlâmes les étapes skipped the steps
égayait entertained
tant soit peu ever so little
écrasions cast away
dépaysement change of scenery
ébranlements shocks
En Attendant in the meantime

avorté aborted
inaperçu unnoticed
décommandé cancelled
par suite de subsequent to
cintré tailored at the waist
montre-bracelet wristwatch
propre à likely to
convoitises envy
gainant sheathing
tissés woven

Je songeais I thought
en bas de l'échelle at the bottom of the scale
à quoi bon to what end
Elles se disaient They claimed to be

Nous eûmes, ensemble, la même révélation. C'était moi, c'était elle. Les coïncidences sont **incitantes**, elles installent leur surprise dans la bonne fortune, puis dans la complicité, enfin dans la confidence. Ce fut le cas de celle-ci. Un lieu imprévu, insolite, infrangible, nous réunissait. Notre voyage devait être long. **Tant mieux.** Nous **brûlâmes les étapes** de notre relation. Notre rencontre dans le couloir du Narkomindiel nous **égayait** autant que sa suite dans le compartiment du train. Nous nous racontions, parlant une langue à nous, un peu de russe, un **tant soit peu** de français, le reste en anglais ou en gestes. Oh bonheur de la découverte ! Exaltation qu'apportent le danger et le secret ! Car nous bravions tous interdits, **écrasions** toute prudence. L'occurrence était fortuite, éphémère, sans témoins. On disait à cette époque que la trépidation du chemin de fer, son **dépaysement**, son transport, favorisaient les **ébranlements** de l'émotion, les consentements de l'abandon. Cette expérience me le fait croire. « Tu es un policier et tu me crois espion. Je suis à toi pour ces jours-ci, après quoi nous ne nous verrons plus. **En attendant**, donne…. ».

J'appris de sa bouche que le drame **avorté** du Narkomindiel était passé **inaperçu**, puisque mon rendez-vous avait été **décommandé par suite** d'une réunion urgente au Kremlin, ce qui expliquait le vide des bureaux. Désertions de poste : la jeune femme aurait risqué sa tête. Au contraire, un haut patronage dont je devinais qu'il était celui d'un chef amoureux lui avait offert une promotion brillante. Je ne pouvais en douter. Elle portait un uniforme **cintré**, une **montre-bracelet** propre à susciter toutes les **convoitises**, et **gainant** ses longues jambes, oh merveille, d'une transparence céleste, **tissés** d'une matière inconnue dans toute l'U.R.S.S., le nylon. Ce luxe était la preuve d'une responsabilité très haute.

Je songeais à ces pauvres filles de la Police, **en bas de l'échelle**, qui nous téléphonaient le soir dans nos chambres. Elles étaient chargées de nous rencontrer, de nous surveiller, de nous espionner, que sais-je, **à quoi bon**. **Elles se disaient** étudiantes, voulaient pratiquer notre

rêche rough
laine malodorante foul-smelling wool
feutre felt
pudeur modesty
attifées dressed
joues cheeks
rougissaient blushed
embrassions greeted
comptes-rendus reports
par le bas at the bottom

mis au point agreed on
étroits narrow
fausse trumps
laps lapse
lapsus slipping

confiée entrusted
subreptice surreptitious
éffleurer gently touch
ma nuque the nape of my neck
Tels furent Such were

destinataire addressee
caravansérail building resembling a trailer park

langue. Elles étaient vêtues de coton **rêche**, de **laine malodorante**, de chaussures de **feutre**, et une bonne partie de leur **pudeur** tenait à ce qu'elles s'apercevaient mal **attifées**. Nous étions gentils avec elles, et leurs grosses **joues** d'enfants **rougissaient** de plaisir quand nous les **embrassions** en leur offrant du chocolat. Que disaient-elles ensuite dans leurs **comptes-rendus** ? « Il faut commencer ainsi, **par le bas** », disait ma compagne.

*
* *

Nous avions **mis au point** un scénario, pour le cas où je serais interrogé. J'étais un agent étranger des services secrets, assisté d'un membre de la Police, dont la présence et le grade devait couper court à toute investigation. Rien, à vrai dire, ne troubla notre duo. Dès notre arrivée à Tiflis, la chambre d'un ami absent nous accueillit. Nous passâmes ainsi deux jours et trois nuits dans se refuge, à peine moins **étroits** que le compartiment du wagon. Mais l'amour caché, volubile et joyeux, **fausse** ses mesures : il double l'espace, la durée, le plaisir. Un **laps** de temps, un **lapsus** de temps, je ne sais que choisir pour désigner cette étrange période dont je me demande parfois si je l'ai réellement vécue. Mais oui, elle est réelle, bien que son souvenir ne soit pas différent de son rêve.

Quand vint le dimanche, j'allais avec celle dont je n'ai jamais connu ni prononcé le nom, porter la lettre que m'avait **confiée** l'Ambassadeur pour le prince georgien. Elle me guida dans les rues étroites de la ville, vers l'adresse que j'eusse été incapable de trouver seul. Je l'entendis me dire « Bien, je te laisse ». Je sentis, **subreptice**, un baiser **effleurer ma nuque**. **Tels furent** nos adieux pour la vie.

Je m'arrêtais devant le bâtiment où demeurait le **destinataire** du message. C'était un **caravansérail** carré, parcouru de galeries à chaque étage. J'appelais à haute voix. Des têtes apparurent aux balcons, visages inquiets et plus encore soupçonneux. Un homme grand, maigre, descendit à ma rencontre. Je lui présentais l'enveloppe. Il me

arracha wrested
remonta quatre à quatre rushed back upstairs four steps at a time
huissier bailiff

dois des excuses owe you apologies
Guepou *acronym:* GPU=ministry of the Interior
aveuglant blinding
adjoint deputy

avaient pris en amitié befriended
d'autant plus volontiers all the more willingly
escale stopover
m'y attarder spend time
timbré stamped

frontalier border
Leninakan city on the border with Turkey and Armenia, of
    Armenian population, its name was changed from Alexandropol
    to honor Lenin
Intourist the official Russian state agency for tourism
commodité convenience
démarches steps
Dégagement *here:* Relief
préposés officials
raidissait hardened
sensible sensitive
douaniers customs officials
mine des mauvais jours surly look

vous n'êtes pas en règle your papers are not in order
Je me rebiffais I protested

l'**arracha** des mains, puis **remonta quatre à quatre**. Bien des années après, j'étais en poste à Paris. L'**huissier** de mon bureau me tendit une carte : « Un prince demande à vous voir ». C'était le Georgien qui m'avait si mal accueilli à Tiflis.

« Voici quinze ans, Monsieur, que je vous **dois des excuses**. La lettre que vous nous apportiez nous avait été annoncée. Nous l'attendions avec impatience. Mais nous étions sous surveillance. Notre famille, vous comprenez….Le chef de la **Guepou** habitait notre étage. Ce n'était pas un ami. Recevoir une lettre de l'étranger était, à ses yeux myopes, un crime **aveuglant**. Heureusement, il était en voyage. Mais je devais faire vite, et sans courtoisie ». Il éclata de rire. « L'homme a été dénoncé par son **adjoint**, qui voulait sa place. Il a fini ses jours en prison. Voilà les correctifs du système ».

*
* *

C'est au cours de l'été suivant que je fus nommé à Paris. Un groupe de sénateurs américains qui m'**avaient pris en amitié**, quittaient Moscou au même moment. Ils me proposèrent une place dans leur avion. J'acceptais d'**autant plus volontiers** qu'ils devaient faire **escale** au Caucase et que je me proposais de **m'y attarder**, cette fois pour de bon, les laissant continuer leur route. Je leur donnai mon passeport qui serait **timbré** au départ, en même temps que le leur.

Je débarquai donc seul, à l'aéroport **frontalier**, près de **Leninakan**. L'**Intourist** me prit en charge. Contrainte et **commodité**, plus de **démarches**. **Dégagement** que donne la discipline. Les **préposés** ont réponse à tout. Me voici, à nouveau, dans le monde des soviets. Je n'étais pas mécontent de leur protection, car, à cette époque, une vive tension **raidissait** les rapports entre l'URSS et la Turquie voisine, et la ville, point de contact des deux pays, était un point **sensible**. Les **douaniers** avaient la **mine des mauvais jours**.

– Camarade, **vous n'êtes pas en règle**.
Le policier me montrait mon passeport. **Je me rebiffais**.

Or Yet

tandis que even though

méfiance mistrust
farci de crainte filled with fear
sur place in person

patelin frontalier border village
à la longue in the long run

censure censorship
glissé slipped
arrêté detained

comportait contained

— Non, Camarade, vos visas indiquent que vous êtes sorti de l'Union Soviétique avec un avion américain. **Or**, vous êtes ici. Comment êtes-vous rentré, quand, par où ?

*
* *

Je compris. C'était simple, mon passeport avait été timbré en même temps que celui des Américains qui quittaient le pays, **tandis que**, débarquant à la frontière, je n'étais pas sorti de l'URSS. J'expliquai « Clair, non ? »

Clair pour moi. Pour un fonctionnaire dont le devoir est fait de **méfiance** et le caractère **farci de crainte**, mon cas est suspect. « Il faut en référer à Moscou ». Je proteste : L'Arménie possède un gouvernement, donc un Ministre, avec qui je peux m'expliquer **sur place**. J'ai lu la constitution de l'URSS. Union des Républiques, cela ne vous dit rien ? »

L'Arménie, son gouvernement ? On ne connaît pas. On connaît Moscou, le Parti, la Police. J'étais bloqué ici, dans ce **patelin frontalier**, pour combien de temps ? Étais-je assuré d'en sortir ? Oui, bien sûr, **à la longue**. Le temps, ici, ne comptait pas, il était mort.

Je télégraphiai à l'ambassade ma mésaventure. Ce n'était pas facile, il me fallait écrire en russe. Sous quelle forme mon texte parviendrait-il ? A travers quelle **censure** ? Je me souvins alors de ma belle compagne du train de Tiflis, qui m'avait **glissé** une adresse « Si un jour tu as besoin d'une aide…On ne sait jamais….Je suis de la Police tu sais ». Nous avions ri. Je retrouvais le billet dans ma poche. Je l'avertis en ces termes « suis **arrêté** à la frontière de Leninakan. Stop ». Rien d'autre que ma signature.

Je m'installe à l'hôtel. Qu'allais-je faire de mes longues journées ? Je n'avais pas le droit de sortir. Naturellement, aucun livre français ne se trouvait à la bibliothèque qui **comportait**, en tout, dix volumes et le reste en journaux.

en se moquant by mocking, by poking fun
disposait was equipped
outre besides
cent pas one hundred paces, *i.e.,* rounds
réduits tiny rooms
cuvette toilet bowl
chasse d'eau flush
à la turque "Turkish style"
broc jug

C'était oublier le milicien That meant forgetting the guard
bondit pounced
Je tentais I attempted
je devais accéder I must gain access
hurla le cerbère howled the watchdog
naquit was born
flouer swindle
se prit au jeu joined the fun
aux aguets on the lookout
trompait masked
j'amusai I got distracted (from boredom)
à pas de loup on tiptoe
placard à balais broom closet
J'en étais quitte I felt free to
tiède lukewarm
fade bland

Dieu soit béni thank God
renversement turnabout

bouclés closed up
averti warned

*
* *

La providence me servit **en se moquant** de moi. Ma chambre, ou plutôt ma cellule, **disposait**, **outre** son lit, d'un lavabo et d'une douche. Pour « le reste », il fallait aller au bout du couloir, où faisait les **cent pas** le milicien chargé de ma « sécurité ». Les toilettes comportaient deux **réduits** face à face, fermés par deux portes. L'un était réservé aux dames, d'après l'inscription peinte sur le panneau, l'autre destiné aux hommes. Le premier disposait d'une **cuvette** et d'une **chasse d'eau**. L'autre était un simple trou, **à la turque**, avec un **broc**. Puisque j'étais seul à l'étage, je décidais de profiter de l'installation la plus confortable.

C'était oublier le milicien. Dès ma première approche, il **bondit** « Niet ». **Je tentais** d'expliquer, dans mon mauvais russe, qu'aucune femme n'habitait l'hôtel, et qu'en vertu d'un privilège généralement reconnu par les nations civilisées au corps diplomatique, **je devais accéder** aux cabinets de luxe. « Niet », hurla le cerbère. Ainsi **naquit**, dans mes jours d'arrêt, l'inattendu passe-temps : **flouer** le fonctionnaire. Je pense que lui aussi se prit au jeu, il était constamment **aux aguets**, ne dormait pas, ne mangeait pas. Grâce à moi, il **trompait** son ennui, grâce à lui, **j'amusai** le mien. Je m'aventurais **à pas de loup** dans le couloir où il se cachait derrière le **placard à balais**. Il surgissait « Niet ». **J'en étais quitte** pour recommencer. J'en oubliais le repas **tiède** et la boisson **fade**.

Un beau jour, **Dieu soit béni**, arriva le télégramme de ma délivrance. Toutes les portes de l'hôtel s'ouvraient devant moi, tous les sourires se découvraient. J'avais gagné la gloire. A qui devais-je le **renversement** ? A ma petite compagne, à l'Ambassade, aux services du protocole ? Je choisis, en souvenir, la première hypothèse. J'en rêve souvent.

Mes bagages **bouclés**, j'allais vers le cabinet des dames. Le milicien, sans doute **averti** de mon départ, avait quitté son poste, mission accomplie. J'aurais aimé lui **secouer** la main.

secouer shake

C'est ainsi (que) That's how

Je n'en ai jamais connu que *in effect:* I never saw anything but

sur cour looking out on the courtyard

en fera sa philosophie make of it what he pleases

C'est ainsi qu'après avoir tant désiré visiter le Caucase, **je n'en ai jamais connu que** deux chambres **sur cour.** Je m'arrête. J'ai raconté mon histoire, le lecteur **en fera sa philosophie.**

LIN·'GUAL·I·TY

presents

Francis Huré
author of

Portraits de Pechkoff

in an interview conducted by
Gerald Honigsblum PhD
July 2007

Studios Coppelia, Paris

Transcribed by
Gerald Honigsblum

en plein Paris   in the middle of Paris
à l'ombre de   in the shadow of

signe   has written
nous avoir rejoints   having joined us

a été couronné du   crowned with, awarded
Prix Combourg   one of France's many literary prizes, established in
   1998 to commemorate the genius of René de Chateaubriand, who
   spent his youth at the château de Combourg in Brittany
Grand Prix Jules Verne   a literary prize bestowed by the Académie
   de Bretagne, a literary society located in the city of Nantes,
   birthplace of Jules Verne
décerné   awarded
cheminement   *here:* increasing success

je me garde d'en parler   I'm wary of talking about it
publique   *here:* government
Je suis un peu pétri de   *here:* I am somewhat accustomed to

---

**The numbers in the left-hand margin on the opposite pages
denote corresponding track numbers on the interview CD.**

❶

Mesdames, Messieurs, bonjour.

Et bienvenu à cette troisième édition d'entretiens avec les auteurs de votre série Linguality.

Au micro dans les studios Coppelia **en plein Paris, à l'ombre de** la Tour Eiffel, votre éditeur, Gerald Honigsblum. Ce soir, j'ai le très grand plaisir d'accueillir Francis Huré qui **signe** son roman, *Portraits de Pechkoff*. Francis Huré, bonsoir et merci de **nous avoir rejoints**, et ainsi de rejoindre nos lecteurs, vos nouveaux lecteurs.

– Bonsoir

– *Votre livre **a été couronné du Prix Combourg**, c'était l'occasion de notre première rencontre. Depuis, vous êtes lauréat du **Grand Prix Jules Verne décerné** par l'Académie de Bretagne. Nous sommes ravis de l'excellent **cheminement** de votre livre et encore plus ravis que* Portraits de Pechkoff *puisse se retrouver entre les mains d'un lectorat international dans la série Linguality. Je vous demande peut-être de vous présenter.*

– C'est une chose difficile que de se présenter soi-même. Voilà, physiquement, ça ne vous intéresse pas beaucoup. Moralement, **je me garde d'en parler.** Vous voulez sans doute que j'exprime sur ma carrière. J'ai suivi une carrière tout à fait normale, celle d'un jeune bourgeois français, que la famille pousse un peu vers des études supérieures, ce que j'ai fait, en effet, puis ensuite lui indique qu'il est temps qu'il gagne un peu sa vie, donc il entre dans une carrière. Cette carrière…j'ai choisi la carrière **publique** parce que c'est aussi une tradition familiale. **Je suis un peu pétri de** vieilles traditions de

275

fonction publique   public service; a *fonctionnaire* (a loaded term in France) is a public servant with all of its overtones of heavy bureaucracy

valorisante   fulfilling

concours   competitive entrance exam

venait de se déclarer   had just been declared

j'ai réussi   *here:* I passed

l'État   the State, *i.e.*, the government

à proprement parler   strictly speaking

l'État français   regime headed by Marshal Pétain upon the capitulation of France in World War II, headquartered in Vichy

Maréchal Pétain   Philippe Pétain (1856–1951), World War I hero who became the controversial head of the collaborationist Vichy government. *Pétainisme*, a term with derogatory connotations, refers to certain reactionary policies.

à la hauteur de   commensurate with

réduite à l'état d'un tout petit hexagone   *here:* France fearfully retrenched upon itself. The French often refer to their country as "l'Hexagone," due to its roughly hexagonal shape. The adjective *hexagonal* means "domestic with a twinge of reclusiveness."

indigne   unworthy

18 juin '40   date on which General de Gaulle broadcast his speech from the BBC in London, calling on the French to rally behind the Résistance.

Alger   Algiers, capital of Algeria

Commissariat   *usually:* police precinct station; *here:* the Free French department of foreign affairs, appointed by the government in exile

France libre   the government in exile headed by Charles de Gaulle

a subi   went through

Gouvernement français   the governing body of sovereign France, headed up by a prime minister *(chef du gouvernement)* appointed by the president *(chef de l'Etat)*

Massigli   René Massigli (1888–1988), career diplomat and man of letters

il m'a ôté   he pulled me out of

Deuxième Division blindée   Second Armored Division, famous for its role in the Liberation of France under the command of General Philippe Leclerc

ce genre, et la **fonction publique** m'a toujours semblé plus agréable, plus intéressante, plus **valorisante** que les domaines privés.

Alors, j'ai donc passé le **concours** des Affaires étrangères. C'était à une mauvaise période. C'était au moment où la guerre **venait de se déclarer**. Alors, **j'ai réussi** ce concours, je suis entré donc au service de l'**État**. Je dis **à proprement parler** au service de l'État, car la République française s'est appelée pendant quelques temps l'**État français**. Vous vous en souvenez. C'était le **Maréchal Pétain** qui dirigeait la France, si j'ose dire, à lui tout seul. Les Chambres avaient en effet abandonné le pouvoir à ce vieil homme prestigieux, dont l'avenir n'était pas **à la hauteur de** passé, je dois dire. Assez rapidement, j'en ai eu assez. J'avais trouvé que cette France **réduite à l'état d'un tout petit hexagone**, contrôlée par l'ennemi héréditaire, l'Allemand, mais surtout par les Nazis, plus encore. Cette vie était absolument impossible et **indigne** d'un jeune fonctionnaire, légèrement ambitieux que j'étais, et je suis donc parti rejoindre le Général de Gaulle, ce que j'ai fait par l'Espagne, comme des masses d'autres Français, d'autres jeunes Français. Les Pyrénées étaient à ce moment-là, vers l'Espagne, le grand boulevard de toute une jeunesse qui estimait comme moi que le temps était venu de reprendre les armes qui avaient été abandonnées le **18 juin '40**.

Alors, je me suis donc trouvé à **Alger**, qui était à ce moment-là….qui venait d'être libéré par les forces anglo-américaines, et là on m'a mis au cabinet du Ministre des Affaires étrangères, qu'on appelait à ce moment-là le **Commissariat**, parce que, comme vous le savez, l'organisme de la **France libre a subi** plusieurs noms, d'abord le Comité français de la libération nationale, puis ensuite le Gouvernement provisoire de la République française, avant de devenir le **Gouvernement français**. Donc, à ce moment-là, c'était la première période. Le Commissaire des Affaires étrangères s'appelait Monsieur Massigli, et **il m'a ôté** de la **Deuxième Division blindée**, où j'avais été mobilisé, pour m'envoyer à Moscou, et là commence mon histoire. Je crois que je vais m'arrêter là un instant.

rapport connection

voire or even

Giraudoux, Claudel, Morand three writers who also were French diplomats. Jean Giraudoux (1882–1944) was a career diplomat, and prolific writer during the period between World War I and World War II. His best-known works include *La Folle de Chaillot* (1945), *Amphitryon 38* (1929), and *Ondine* (1939). Paul Claudel (1868–1955) served as ambassador to Japan and the United States. His most famous works are *Le Partage de midi* (1906) and *Le Soulier de satin* (1931). A devout Roman Catholic, he was an outspoken critic of the Nazis in World War II. He was elected to the Académie française in 1946. Paul Morand (1888–1976), who served as French ambassador to Romania and Switzerland, was a prolific novelist, poet, and playwright. He collaborated with the Vichy government during World War II, and when his diplomatic posting to Switzerland was revoked after the war, he lived there in exile. De Gaulle opposed his election to the Académie française in 1958, but he was finally admitted ten years later.

Code civil The comprehensive corpus of laws and organizing concepts that govern the private and commercial affairs of French citizens, first promulgated by Napoléon Bonaparte in 1804. It has a symbolic role in French society.

attrait attraction

Marc Fumaroli (b. 1932) French intellectual, member of the Académie française, and specialist in 17th- and 18th-century French thought

Quand l'Europe parlait français book by Marc Fumaroli published by Éditions de Fallois, Huré's publisher, in 2001. It chronicles how and why the French language was so dominant in the 17th and 18th centuries.

statut status

mondialisation globalization

③ *— D'accord et merci beaucoup. Francis, on dit que les écrivains, puisque vous êtes un écrivain, et notamment les écrivains français sont les plus éloquents ambassadeurs de ce pays, notre pays, la France. Vos nouveaux lecteurs, anglophones, ou lecteurs pour qui l'anglais est une lingua franca, vos nouveaux lecteurs sont pour la plupart (in)variablement francophones, mais tous invariablement francophiles. Or vous avez longtemps été ambassadeur de France, comme vous venez de l'indiquer, dans plusieurs pays. Quel **rapport** pouvez-vous établir entre la diplomatie et l'écriture, **voire** la littérature ?*

— Si vous voulez, partons d'un fait. Il est vrai que cette carrière diplomatique a vu beaucoup, beaucoup de très très bons auteurs. Je peux les citer, évidemment, **Giraudoux, Claudel, Morand**, etc. etc. Pourquoi ? Je pense que c'est parce que…alors…on se fait peut-être une idée fausse de la diplomatie….On s'imagine que ce sont les tasses de thé, les conversations mondaines, le beau langage, non. C'est plus que ça. C'est la négociation, et la négociation est une chose précise, qui demande beaucoup de…précisions dans les textes, dans les termes. Vous vous souvenez, on racontait que Balzac lisait régulièrement le **Code civil**, parce qu'il trouvait que c'était vraiment du beau langage, le langage de la loi. Bien, je dirais aussi que pour un diplomate, le langage précis de la négociation est une bonne école, et c'est vrai, qu'en effet…c'est probablement là l'origine de cette sorte d'**attrait** pour le langage, le beau langage que nous avons.

*— Et le français en particulier. On dit souvent que le français a longtemps été considéré comme la langue diplomatique. Je pense à ce très beau livre de **Marc Fumaroli**, **Quand l'Europe parlait français**. Quel est votre sens du **statut** de la langue française aujourd'hui dans le cadre de la **mondialisation** ?*

— Vous comprenez, je suis tout à fait, si j'ose dire, fanatique de ma langue, que je trouve extrêmement belle, expressive, articulée sur des notions à la fois de poésie et aussi de contours bien définis. Y a à la fois du rêve, mais y a aussi beaucoup de réalisme dans la langue

chauds partisans ardent supporters

sourds et aveugles deaf and blind

d'un avis contraire of the opposite opinion

manie handle skillfully

à la page 16 page 16 in the original edition published by Fallois
bavards gossipers
motus tight-lipped
bouche était cousue de fil lips were sewn shut
ne desserrait pas les dents unclenched (teeth)
remords remorse
ombrageux *here:* touchy
ténébreux *here:* brooding
porte-parole spokesman

demeurera will remain

témoignages proof
Il m'a laissé en mourant He bequeathed me
gilet vest
poitrine chest

je l'ai éprouvée I experienced it

française, alors, évidemment, j'en suis un des **chauds partisans** de l'expansion ou de maintien de la langue française. Ceci dit, ne soyons pas nationalistes au point d'être vraiment **sourds et aveugles** pour les autres nations et les autres langues. Dieu sait que la langue anglaise est une langue riche, belle, intéressante, mais, voilà, ce n'est pas la mienne. Je ne suis pas né en Angleterre, je serais tout à fait **d'un avis contraire**, si j'étais né en Angleterre, et tout à fait d'avis de la propagation de l'anglais. Je suis né en France et je souhaite que le français soit ce qu'il mérite d'être, c'est-à-dire une langue dont on apprécie la qualité, quand on la **manie**, comme il faut.

– *Merci…Zinovi Pechkoff était ni linguiste, et pas vraiment polyglotte. Il parlait peu, il écrivait encore moins. Vous dites à **la page 16** de votre ouvrage, à la différence de tous les **bavards** autour de vous, chez Pechkoff, **motus**. Une très belle interjection, n'est-ce pas, « sa **bouche était cousue de fil** sombre et **ne desserrait pas les dents** » et plus loin vous posez la question : « qu'avez-vous donc à cacher de si précieux ? Un trésor, un **remords** ? Quelle abondance, quel abandon ? Êtes-vous si **ombrageux**, » dites-vous, « que vous soyez devenu **ténébreux** ?» Vous êtes fondamentalement son **porte-parole**, Francis Huré. Estimez-vous avoir répondu à toutes ces question ?*

– Et bien, n'est-ce pas, si nous en venons à Pechkoff, c'est une sujet plus précis, il faut avouer qu'en effet Pechkoff est et **demeurera** toujours pour moi un mystère. J'ai été son collaborateur pendant longtemps. Il m'a honoré d'une affection très grande, et dont j'ai des **témoignages** irréfutables. **Il m'a laissé en mourant** son **gilet** de Légion, la croix qu'il portait sur sa **poitrine**, son bracelet d'officier français. Je n'ai pas besoin de ça pour croire en sa sympathie, mais enfin, **je l'ai éprouvée**, et bien néanmoins, je ne connais pas Pechkoff parce que c'est un mystère.

Et c'est ce que j'ai essayé d'écrire, la destinée de ce petit bonhomme russe, né à Nizhni Novgorod, fils adoptif de Gorki, et qui devient

maniait

usage practice
de sorte que such that

se méfie is suspicious
adjoints deputies
avec dignité with honor, an expression used when receiving official
   honors at the highest level
Grand'Croix the highest decoration within the hierarchy of the
   Légion of Honor. Founded by Napoleon and itself the highest
   decoration bestowed by the French nation, the Légion's lower
   classes include *Officier* and *Commandeur*.

avant-propos forward

en exergue epigraph
La Guerre et la Paix *War and Peace*, Leo Tolstoy's great masterpiece
   of Russian literature. Published in six volumes between 1865 and
   1869, it follows the destiny of several aristocratic families during the
   military campaigns at the beginning of the 19th century.

général de corps d'armée français, ambassadeur de France. N'est-ce pas, c'est tout à fait inimaginable et incroyable. Et c'était un homme, en effet, pour revenir à votre question précise sur le langage, un homme qui **maniait** toutes les langues assez mal. Il parlait français avec des fautes, anglais avec des fautes, il parlait russe sûrement bien, mais enfin il avait quitté l'**usage** du parler russe assez jeune. A vingt, vingt-cinq ans, il était déjà sur les routes de l'aventure, **de sorte que** cet homme est une réussite non seulement sans vrai….sans examen, non seulement sans vraie culture profonde, sans nationalité, sans fortune, et est arrivé à pénétrer dans les deux bastions tout à fait extraordinaires que la France de l'époque connaissait, c'est-à-dire les Affaires étrangères, qui ont des prétentions élitistes tout à fait considérables, et l'Armée qui **se méfie** de tout par principe. Eh bien, il a pénétré ces deux citadelles, et il est devenu non seulement un des **adjoints**, un des agents, mais au sommet, il est devenu non pas petit secrétaire d'ambassade, il est devenu ambassadeur de France **avec dignité**. Il a été non pas petit commandant ou un jeune colonel, il a été général de corps d'armée, et **Grand' Croix**, non pas Grand Officier, Grand' Croix, c'est-à-dire la plus haute dignité possible dans la Légion d'honneur.

— *Et pour ne le faire connaître, votre livre est structuré d'une façon très très claire, je dirais même presque pédagogique. Un **avant propos**, un premier portrait avec un titre et une épigraphe d'Apollinaire ; un deuxième avec son titre et son épigraphe de Borges ; un troisième avec son titre et son épigraphe de Corneille. Un quatrième, en l'occurrence L'ambassadeur extraordinaire, dont vous parliez, et son épigraphe de Montaigne. Et un dernier avec son titre affectif, Le cher Zinovi, et son épigraphe de Voltaire. Et vous ajoutez en annexe trois CVs, chacun un peu différent l'un de l'autre, et quelques lettres manuscrites. Pouvez-vous commenter justement sur cette touche très littéraire de votre ouvrage ? Je crois que ces citations littéraires **en exergue** ne manqueront pas d'intriguer nos lecteurs. D'autant plus que vous citez Pechkoff, s'agissant de ses lectures, vous dites : « les romans sont insignifiants parce qu'ils choisissent des sujets petits. Vous comprenez, Gorki m'a fait lire **La Guerre et la Paix** quand*

lacunaire lacking
bavard talkative

il a envie de la faire he feels like waging it
du côté du Tsar on the side of the tsar

coupé severed
bravoure bravery
il rejoint le PC (PC= *poste de commande*) he reaches the command
  post
sous-lieutenant second lieutenant

réprouve condemns, disapproves of
auprès
Sverdlov Zinovi Pechkoff's family name before he was adopted by
  Maxim Gorky

*j'avais quinze ans….en littérature, je suis devenu **lacunaire**. » Je suis beaucoup trop **bavard**.*

– Oui…non… je crois que, si vous voulez, pour l'auditeur, reprenons un petit peu le début de ce que je vous disais, fin du siècle dix-neuvième, à Nizhni Novgorod, ce petit garçon, sans éducation, choisi par Gorki, qui a une vocation, il veut être acteur, et peut-être même clown. Il est juif par sa famille, il se convertit à l'Orthodoxie parce qu'il voudrait entrer à l'école de comédie, et pour entrer à l'école de comédie, il faut avoir un certificat de baptême. Là-dessus arrive la guerre, je vais très vite, peu importe, il s'engage dans le seul endroit où il pouvait faire la guerre, car **il a envie de la faire**, mais pas **du côté du Tsar**. Il voulait néanmoins être combattant, il entre à la Légion étrangère. Il a un bras **coupé**. Dans des conditions extraordinaires de courage et de **bravoure**, il rejoint **le PC** où on trouve qu'on ne peut pas l'opérer. Il va vers Paris. C'est un roman extraordinaire, il finit par arriver à Paris, il se fait amputer d'un bras, et ce petit caporal de la Légion devient **sous-lieutenant**, lieutenant, capitaine, est envoyé en Amérique, et là, alors, extraordinaire passage, non seulement il est envoyé en Amérique pour convaincre les Américains de rentrer dans la guerre à nos côtés, car c'était 1917, de dont je parle, mais ensuite il est envoyé en Russie…il est envoyé en Russie pour convaincre les Russes de ne pas faire de paix séparée avec les Allemands, afin de continuer le combat. Et vous imaginez cette solitude fantastique, de cet homme qui n'a aucun diplôme, aucun passeport vrai, aucune affinité sentimentale pour un pays qu'il a quitté, la Russie, mais qui est néanmoins le sien, qui retrouve toute sa famille, et qui a un uniforme français que sa famille **réprouve**, qui est **auprès** de Gorki, le révolutionnaire, auprès de son frère **Sverdlov**, qui va devenir, président….commissaire du peuple, et qui sera l'homme qui facilitera, si j'ose employer ce terme impropre, l'assassinat du Tsar et de ses enfants à Ekaterinbourg, tant est si bien, comme vous savez, Ekaterinbourg s'appellera Sverdlov, qui est le nom d'origine de Pechkoff.

Alors, n'est-ce pas, tout ça est tout à fait extraordinaire, et j'ai voulu

exergues epigraphs

j'avais maintes fois arpenté many a time I paced up and down
  (Gorky Avenue in Moscow)

En quoi In what way

à l'abri sheltered
commérages gossip

tout sert à tout

se répercute

essayé, encore une fois je reprends votre question maintenant de façon adéquate, j'ai voulu essayé non pas de faire cette histoire… elle est incroyable, et on ne peut pas la faire vraiment…mais de faire un portrait. J'ai connu Pechkoff, je l'ai servi beaucoup, je l'ai profondément aimé, ainsi l'a fait mon épouse, qui avait pour lui des sentiments que je partageais. Mais je ne peux pas, je ne pouvais pas faire l'histoire de cet homme. J'en ai fait des portraits, j'ai fait le Pechkoff que je vois, que j'ai vu. Et ces **exergues** dont vous parlez m'ont semblé en effet illustrer des aspects de sa vie. Pechkoff, qui n'avait pas de culture, ou qui en avait plusieurs à la fois, qui parlait beaucoup de langues, mais mal, qui n'appartenait à nulle part. Pechkoff était, si vous voulez, une espèce de héros, le héros à la fois militaire, littéraire, un personnage sans patrie, mais tout à fait étonnant.

— *On remonte au premier portrait, et vous dites, je vous cite : « A Moscou, lorsque j'étais en poste, **j'avais maintes fois arpenté** l'avenue qui porte son nom et témoigne de sa gloire. » Vous parlez, bien entendu, de Maxime Gorki, le père adoptif, donc, de Pechkoff. Nous découvrons là Francis Huré, diplomate à Moscou. **En quoi** cette expérience vous a-t-elle préparé pour l'ouvrage que nous lisons aujourd'hui ?*

— Je ne crois pas beaucoup. Je n'ai jamais, jamais, parlé à Pechkoff de ma vie à Moscou, jamais. Il aurait été horrifié, si j'avais évoqué ce passé. Je n'avais pas le droit. L'histoire de Pechkoff est une histoire qu'il voulait tenir, non pas secrète, mais **à l'abri**, à l'abri des **commérages**, à l'abri en tout cas d'une jeune attaché d'ambassade, qui n'avait qu'à respecter, détester, ou aimer son patron, sans diverses formules. Je n'ai jamais osé parler à Pechkoff de Moscou. En réalité, oui, **tout sert à tout**. Il est certain que d'avoir été là-bas en Union Soviétique, on disait alors, en pleine guerre, m'a aidé à comprendre le courage fantastique de ce peuple, sa destinée, ses options multiples, tout ça, c'est bien entendu, et ça **se répercute** sur le garçon qui ensuite écrit un livre, et veut faire les portraits d'une homme qu'il a aimé. Sûrement, enfin je ne veux pas dire très précisément que le fait d'avoir été à Moscou m'a aidé à écrire les *Portraits de Pechkoff*.

estiment consider
poudrière powder keg

je me passionne I am fascinated
je guette I lie in wait
émettre issue, pass

riverains river dwellers
repris son nom took back its name (formerly Gorki)
solennellement solemnly
boucle se referme come full circle again
a vraiment pesé sensiblement truely weighed heavily
Briand Aristide Briand (1862–1932), French statesman who served
  several terms as prime minister. He shared the 1926 Nobel Peace
  Prize with Gustav Stresemann of Germany for the Locarno Pact.
  The following year, Briand and U.S. secretary of state Frank B.
  Kellogg proposed a multilateral treaty outlawing war that became
  known as the Kellogg-Briand Pact.
Berthelot Philippe Berthelot (1866–1934), French diplomat who
  held the title of Secrétaire du Quai d'Orsay, a post in the ministry
  of Foreign Affairs with the rank of ambassador

⑧ — *Cependant, vos lecteurs auront la grande chance dans cette nouvelle édition de mieux vous connaître justement dans ce contexte, et je parle de ces lecteurs parmi lesquels se trouvent la grande diaspora des Russes en France, en Europe, en Amérique, puisque nous éditons en supplément une nouvelle intitulée,* Une aventure au temps de Staline. *Vous avez connu une Europe, Francis Huré, que beaucoup ne connaissent plus. Quel regard portez-vous sur cette partie du monde aujourd'hui, cette Russie re-émergeante, le Caucase que les stratégistes **estiment** toujours une **poudrière** ?*

— Alors, ça écoutez, ma réponse est tout à fait simple : je suis incapable de (me juger) de juger ce pays que j'observe, que je regarde, incapable de juger parce que je n'ai aucune espèce de donnée précise sur l'aventure assez extraordinaire de ce pays ancien et neuf à la fois. Bien entendu, je suis comme tout le monde, c'est-à-dire que **je me passionne**, j'observe, je regarde, **je guette** ce qui se passe maintenant dans la nouvelle Russie. Mais ce n'est sûrement pas le fait d'avoir connu la Russie Soviétique qui me permettrait maintenant d'**émettre** un jugement sur ce qui passe aujourd'hui. Vous savez, c'est un pays tellement nouveau, et je n'ai pas la prétention d'avoir plus qu'un autre un jugement vrai. J'en ai un, mais il est, comme celui de tout le monde, sujet à caution.

— *Assurez-vous que les **riverains** de Nizhni Novgorod aujourd'hui qui a **repris son nom**, sont très heureux d'avoir réceptionné votre livre, et ils l'ont placé **solennellement** dans la Bibliothèque de Gorki, et quelque part la **boucle se referme**. Est-ce qu'on peut dire aujourd'hui, pour remonter encore plus loin dans le siècle, que Pechkoff **a vraiment pesé sensiblement** sur la décision du Président Wilson, justement, d'entrer en guerre. Vos lecteurs américains seront particulièrement sensibles au chapitre américain de l'aventure de Pechkoff.*

— Ah, oui, ça je crois, n'est-ce pas. L'idée française en 1917, plus exactement l'idée de **Monsieur Briand** qui était ministre des affaires étrangères, et dont le chef de cabinet s'appelait **Berthelot**, était tout

à la rescousse to the rescue

on avait dépéché we had dispatched
échelons levels

souffrances pains and tribulations

a flambé took on a head of steam
l'applaudissaient cheered him

voler au secours to rush to the rescue

plébiscite approves
sauvageon little savage
locataire tenant, renter

vieillard old man

simple, c'était…si les Américains ne venaient pas **à la rescousse**, la France et les Alliés, et donc la démocratie occidentale étaient perdus. Alors, il était évident…tout à fait urgent que les Américains entrent en guerre, et pour…à nos côtés, et pour cela **on avait dépêché** des masses d'émissaires à tous les étages et à tous les **échelons** de la société. Alors, évidemment, Pechkoff n'est pas celui qui a convaincu vraiment le Président Wilson d'entrer en guerre. Mais il a fait des conférences dans l'opinion, et l'opinion en Amérique ça compte, certes c'est une grande démocratie qui écoute le peuple, et son thème était toujours le même.

C'était à la fois les **souffrances** : regardez-moi, je suis un jeune homme, le bras coupé, je suis un sous-lieutenant de Légion étrangère, vous savez ce que c'est que la Légion étrangère, je vais vous l'expliquer ; la bataille, je vais vous l'expliquer ; nous avons beaucoup souffert, mais nous aurons la victoire, et grâce à cette victoire, ensemble nous ferons un nouveau monde. Voilà la thèse de Pechkoff, et cette thèse **a flambé**, elle marchait. Les femmes **l'applaudissaient**, je dis les femmes, parce qu'elles ont toujours beaucoup compté dans la carrière de Pechkoff. Les hommes aussi d'ailleurs. Alors je ne peux pas dire qu'il a pesé sur la décision du Président Wilson, je veux dire que Pechkoff a été un des éléments qui ont convaincu l'Amérique et donc son gouvernement de **voler au secours** de la démocratie, c'est-à-dire des Alliés en 1917.

— *Vous avez beaucoup parlé sur* Portraits de Pechkoff, *votre livre, le public vous* **plébiscite**. *Les prix littéraires s'accumulent. Pour vous aujourd'hui, lequel des portraits de Pechkoff vous marque le plus, le* **sauvageon** *de Nizhni ? Le légionnaire qui a perdu un bras ? Le général ? L'ambassadeur ? Le* **locataire** *de la rue Lauriston ?*

— Vous savez, alors, je vous répondrai alors tout à fait simplement, l'homme que je suis qui est maintenant un **vieillard**, évidemment donne sa préférence au vieillard Pechkoff, c'est-à-dire l'homme qui,

jusqu'à son terme until the end
rentrer dans le rang fall into line

inculte uncultivated

de part ses fonctions by virtue of his functions

Monsieur un tel Mister Such and Such
prêter aide lend assistance
titulaire bearer

carrure stature
au bercail to the fold
au mess at the mess hall

avec le passé qu'il avait derrière lui, a continué sa vie **jusqu'à son terme** avec une extraordinaire modestie, un grand désir de **rentrer dans le rang** après avoir servi son pays, et non seulement son pays, mais même un peu plus, peut-être même, dira-t-on, la démocratie, peut-être même, dira-t-on, l'humanité, c'est peut-être un peu exagéré, mais quand même, Pechkoff a été un grand, grand humaniste, un humaniste **inculte**, mais c'était comme ça. Alors, évidemment c'est le vieil homme que j'aime parce que je suis moi-même devenu un vieil homme.

Ceci dit, tous les Pechkoff que je relate sont des êtres extraordinaires, divers, et nous venons tout à l'heure d'évoquer cette période qui est peut-être celle que je préfère au fond...au fond de moi-même, c'est cette période où le jeune lieutenant Pechkoff, en 1917-18, retrouve son propre pays, ses parents révolutionnaires, et non pas petits révolutionnaires, grands révolutionnaires, révolutionnaires actifs, et quelques fois même avec du sang sur les mains, puisque, je le répète, son frère Sverdlov a été **de part ses fonctions** l'homme qui a décidé de la mort du Tsar, ce Pechkoff donc isolé de tout, français, il ne l'était pas, il a été français en 1923, russe ne l'était plus, il avait quitté la Russie, révolutionnaire il ne l'était pas, progressiste il l'était, mais enfin il portait un uniforme étranger, il n'avait pas de passeport français, on lui avait donné un passeport diplomatique parce que les passeports diplomatiques, beaucoup d'entre vous le savent, ne portent mention du pays, c'est simplement : la République française prie les amis et les alliés de cette république d'aider **Monsieur un tel** et de lui **prêter aide** en cas de besoin. C'est un passeport qui ne porte pas la qualification du **titulaire**, on ne dit pas s'il est français, s'il est grec, turc, peu importe.

Alors, Pechkoff était là, en Russie, en pleine guerre, avec pour amitié son père adoptif Gorki, pour relations des hommes de la **carrure** de Lenine, de Trotski et de tous les autres, et de son frère Sverdlov. Il était...il rentrait **au bercail**, **au mess** des officiers français auquel il n'appartenait pas : l'armée française à l'époque et les attachés militaires auprès du Tsar, c'était pas du tout des hommes comme

galons military stripes

bouleversante distressing

orphelin orphan
insolite unusual
banni banished

il vous aurait adoptés he allegedly adopted you

flatteuse flattering

bouquin (paperback) book
je n'oserais pas y prétendre I wouldn't presume to lay claim to it
liés tied

Pechkoff, des aventuriers, c'était des bourgeois de vieilles familles qui était en effet…qui portaient leurs **galons** parce qu'ils avaient hérité d'une vieille tradition, et ce Zinovi, Légion Étrangère, russe, frère de révolutionnaire, sous uniforme français, qu'est-ce que c'était ? Donc, Pechkoff se trouvait dans un état de solitude **bouleversante**. C'est peut-être cet homme-là que je préfère, peut-être, mais je ne suis pas sûr de ce que je dis.

⑪

*— J'ai essayé d'apprécier le statut d'**orphelin** qui était celui de Gorki, comme nous le savons. Celui-ci adopte de façon **insolite** un garçon on peut dire orphelin, puisqu'il est **banni**, comme vous le dites, de la maison du père, le juif orthodox. Zinovi Pechkoff aurait épousé, si j'ai bien compris, deux femmes. Nous ne sommes pas certains ce qu'est devenu l'enfant. Et cependant, **il vous aurait adoptés**, vous et votre épouse, Francis Huré, comme ses propres enfants. Que diriez-vous sur ce cette filiation un peu fragile et affective ?*

— Non, elle est trop **flatteuse** pour nous, elle est trop flatteuse pour nous. Pechkoff nous appelait « ses enfants ». Il appelait en effet…. Jacqueline et moi…nous étions « ses enfants ». Il nous écrivait en disait, « mes enfants ». J'ai, pour le montrer, fait un facsimilé que l'éditeur a bien voulu inclure dans le **bouquin**. Mais, c'était un terme générique. Non, la filiation de Pechkoff, **je n'oserais pas y prétendre**, je ne vais pas jusque-là. Nous étions simplement très très profondément **liés** par mille…pour mille raisons…et, sans aller jusqu'à vraiment l'adoption sérieuse.

Francis Huré, merci de nous avoir confié vos témoignages, votre sagacité, et ses aperçus précieux sur une époque que nous regardons déjà de loin et qu'a incarnée votre protagoniste, votre ami, Zinovi Pechkoff. Chers amis, il ne me reste qu'à vous dire au revoir, à remercier encore une fois Francis Huré, et à vous souhaiter bonne lecture de *Portraits de Pechkoff*.

EN COUVERTURE, DE GAUCHE À DROITE:

– *À Capri, avec Gorki, en 1910.*
– *À Paris, après sa blessure en 1915 (médaille militaire, croix de guerre).*
– *Général de corps d'armée, ambassadeur à Tokyo en 1947.*
– *En retraite à Paris, 1963.*